Lekcje francuskiego

Ellen Sussman

Lekcje francuskiego

Przełożyła
Magdalena Rabsztyn

Wydawnictwo Literackie

Tytuł oryginału
French Lessons

Wydanie pierwsze

ISBN 978-83-08-04927-3

Dla Gillian i Sophie, moich córeczek paryżanek,
oraz dla Neala, *mon amour*

Nauczyciele

Jaskrawe światło słońca wlewa się przez okna szkoły językowej Vivre à la Française, Życie po francusku. Deszcz pada od wielu dni – od tygodni – i ten nagły błysk spomiędzy chmur sprawia, że pracownicy na chwilę przerywają swoje czynności i zwracają twarze ku światłu. Jest wczesny ranek i nikt się jeszcze w pełni nie rozbudził – jedna z młodych kobiet mruczy: *Bonjour, soleil*, Witaj, słońce. Nico uśmiecha się, a potem trzaskają drzwi i wszyscy zdecydowanie energiczniej wracają do swoich zajęć. Nico mruga i rozgląda się dokoła, szukając oznak tego, co już wyczuwa: jest inaczej. To nie tylko zmiana pogody. To ten dzień – nowy i obiecujący. Każdy kąt sekretariatu szkoły jest skąpany w blasku słońca. Nawet ta upiorna dziewczyna za biurkiem wykrzywia usta w półuśmiechu, gdy podaje mu kartkę z rozkładem zajęć.

Z całą pewnością dzisiejsza lekcja języka francuskiego zapowiada się ciekawie – Josie Felton. Podoba mu się to imię, jest bardzo amerykańskie. Nico wyobraża sobie blondynkę z włosami spiętymi w koński ogon, gotową na podbój Paryża. Jego Paryża. On pokaże jej drogę. Składa wydruk z nazwiskiem oraz szczegółami zajęć – godzina spotkania, czas trwania lekcji, poziom znajomości francuskiego, jej zainteresowania – i wsuwa go do tylnej kieszeni.

Pora spotkać się z Chantal w kawiarni.

Nico wychodzi ze szkoły na rue de Paradis. Zanim skręci do restauracji na rogu, patrzy w drugą stronę. Coś przyciąga jego uwagę – wstrzymany oddech, szelest tkaniny, nagie ramię. Mruży oczy w słońcu i na końcu ulicy dostrzega dwoje ludzi. Kobieta przypiera mężczyznę do ściany budynku. Oplata go nagimi, opalonymi rękoma z wytatuowanym zygzakiem błyskawicy. Nachyla się do pocałunku, długiego pocałunku. Ktoś otwiera drzwi za Nico i wpada na niego.

– Przepraszam – mówi Nico i się odsuwa.

Ogląda się za siebie. Jeszcze raz zerka na parę. Kobieta odchodzi wolnym krokiem. Mężczyzna przesuwa dłonią po włosach i rusza w jego kierunku. To Philippe. Nico od razu myśli o jego dziewczynie – czy widziała ten pocałunek? Patrzy w stronę kawiarni i spostrzega tam Chantal, która siedzi przy stoliku na zewnątrz i czyta książkę. Nico oddycha z ulgą.

Philippe jest już przy nim i klepie go w ramię.

dzieścia cztery godziny. Każdy wiersz to inna wersja tego, co się z nim w ciągu tej doby dzieje.

– Kto został porwany? – pyta Philippe, opadając na krzesło przy okrągłym stoliku. Stawia torbę na ziemi.

Nico czuje, jak coś go ściska w piersiach – stracił okazję, żeby powiedzieć więcej.

– Ciebie porwano? – docieka Chantal.

– To coś, co kiedyś napisałem – mówi Nico.

Innym razem pokaże Chantal wiersze. Opowie jej, jak spędził dzień w piwniczce ziemnej. Przez krótką chwilę czuje przerażenie, które mu tak długo towarzyszyło. Znów jest dzieckiem i stoi na szczycie wieży z kartonów do pakowania wina. Powietrze pachnie ziemią, kartoflami i alkoholem. Patrzy przez dziurę w klapie i widzi nogi policjantów, dziesiątki policjantów, ich czarne buty ciężko depczą po mokrym błocie. Nawet teraz nie jest pewien, czy bardziej bał się tego, że go odszukają, czy tego, że go nigdy nie znajdą.

Nie powiedział nikomu o tym dniu. Teraz napisał trzydzieści wierszy, wykorzystując to jedno wydarzenie ze swojego dzieciństwa. Zeszłego wieczoru zadzwoniła do niego redaktorka: „Ta książka będzie darem dla wszystkich. Pamiętamy własne dzieciństwo, a pan ma swoje przeżycia z tego okresu oraz bogatą wyobraźnię. Każdy dzień można odtworzyć niezliczoną ilość razy. W końcu nie wiemy, co jest prawdą. A jednak wszystko jest prawdziwe, czyż nie?".

Nico nie wiedział, co jej odpowiedzieć. Teraz zastanawia się, czy ta książka przyniesie mu wolność. Samo doświadczenie nie ma już większego znaczenia po tylu latach. Lecz tajemnica nabrzmiała, stała się cuchnąca i obrzydliwa. Zmiótł cały ten bałagan i stworzył wiersze – czy ta kobieta naprawdę powiedziała, że są urocze? Zapierające dech? Nico zamierza opowiedzieć o wszystkim Chantal.

– To jakiś kryminał? Dreszczowiec? – chce wiedzieć Philippe.

– Kogo masz na dziś? – pyta go Nico, a Philippe zapala papierosa.

– *Bof*. Nikogo. Tylko tę co zwykle. Clavère usiłuje mnie wyrolować. Chce mnie stąd wywalić, ale sam mnie nie zwolni. Więc ciągle mi powtarza, że nie ma dla mnie uczniów. Mam już, kurwa, dość tej szkoły.

Philippe gwałtownie wydmuchuje dym. Zapadają mu się policzki i twarz się zmienia – przez chwilę wygląda na udręczonego. Potem uśmiecha się i znowu jest przystojny i opanowany. Nico przypuszcza, że Philippe pochodzi z bogatej rodziny, mimo taniej koszulki i przetartych dżinsów.

– Zamierzasz poszukać innej pracy? – pyta Nico.

– Zamierzam skupić się na muzyce. Mam lepsze rzeczy do roboty niż niańczenie jakiejś Amerykanki, która nie potrafi odmienić czasownika *être*.

– Tej z cyckami – wyjaśnia Chantal.

– Aha – mówi Nico. Philippe powiedział im, że gdyby nie piersi tej kobiety, to nie wytrzymałby dwugodzinnych sesji.

Nico spogląda na Philippe'a i Chantal siedzących po drugiej stronie małego stolika i dostrzega, że coś się zmieniło – Chantal nieco odsunęła krzesło od Philippe'a i nie patrzy na niego. Nico zastanawia się, czy widziała ten pocałunek na ulicy.

Philippe i Chantal są kochankami. Nico o tym wie. A jednak trudno mu w to uwierzyć teraz, gdy już spędził z nimi trochę czasu. Są jak cień i światło słońca – co mogło przyciągnąć Chantal do życia Philippe'a, pełnego mrocznych tajemnic? Ale potem przypomina sobie, gdy pierwszy raz zobaczył ich razem na spotkaniu w szkole. Stali przy ścianie na końcu sali. Philippe obejmował Chantal, a ona opierała się o niego. Oboje wyglądali na rozmarzonych i sennych, jakby cały dzień nie wychodzili z łóżka i w ostatniej chwili narzucili na siebie jakieś ubrania, żeby zdążyć na spotkanie. Gdy ich szef ględził o wyzwaniu, jakim jest uczenie Japończyków, Philippe wyszeptał coś do ucha Chantal, a ona zamknęła oczy, położyła dłoń na jego plecach i rozchyliła wargi, jakby była gotowa wydać z siebie dźwięk zbyt intymny na tak publiczne miejsce. Nico wtedy pomyślał: Chcę ją poznać.

Teraz patrzą na niego zza stolika, jakby na coś czekali.

– Dajesz dość koncertów, żeby się z tego utrzymać? – pyta Nico. Właściwie to nie wie, jaką dokładnie muzykę gra Philippe.

– Przesłuchiwałem wczoraj kandydatkę na wokalistkę – oświadcza Philippe. – Była świetna.

– Więc ją zerżnąłeś – stwierdza Chantal.

Nico nigdy nie słyszał tak wulgarnej Chantal. Teraz Chantal i Philippe patrzą na siebie gniewnie. Nico myśli: Nie powinno mnie tu być.

– Śniłaś mi się wczoraj – mówi Philippe. – Stałaś naga na środku Champs Élysées. Tłumy turystów wiwatowały i rzucały ci monety pod stopy.

– Nico i ja poszliśmy do łóżka w zeszłym tygodniu – oznajmia Chantal.

Nico patrzy na Philippe'a, ale nic nie mówi. Nie tak to sobie wyobrażał. To, co wydarzyło się tamtej nocy z Chantal, było tak osobiste, prywatne i intymne, że nawet do głowy mu nie przyszło, iż ona mogłaby powiedzieć o tym Philippe'owi.

– To żaden problem, stary. Nie mam do ciebie pretensji. Ona jest seksowna. Tylko spójrz, wygląda na zimną sukę. Ale tak naprawdę jest seksowna.

– Philippe… – Głos Chantal jest bardzo smutny.

Nico przypomina sobie skórę Chantal. Tamtej nocy rozbierał ją powoli, a łódź kołysała się i blask letniego księżyca wpadał przez iluminator. Spodziewał się zupełnie innego widoku – mlecznej skóry nietkniętej przez słońce, wysmukłego ciała. Tymczasem jej ciało, pełne pięknych krągłości, było opalone. Leżała na boku i patrzyli sobie w oczy. Choć sądził, że go poprosi, by wyszedł, przyzwoliła na jego obecność uważnym spojrzeniem, swawolnym uśmiechem, milczeniem. Przesuwał palcami po pagórkach i dolinach jej ciała, od szyi przez ramię do talii i biodra, aż dotarł do cudownie długiej nogi. Pejzaż Chantal, pomyślał.

To był seks z zemsty – Chantal nie potrzebowała sceny z dzisiejszego poranka na rogu ulicy, żeby potwierdzić to, co już wiedziała.

– Powiedz nam o swojej książce, Nico – prosi Chantal.

Patrzy na nią, zaskoczony. Ona reaguje wymuszonym uśmiechem. Czy ją stracił? Oczywiście, że tak. Nigdy przecież jej nie miał.

– Nie teraz – odpowiada. – Dziś wieczorem. Kupię butelkę szampana w La Forêt.

Nico przypomina sobie wczorajszą euforię po odebraniu telefonu z wydawnictwa. Powiem Chantal, pomyślał natychmiast. I w ciągu długiej, niespokojnej nocy wyobrażał sobie jej zadowolenie z tej wiadomości, dyskretne pytania, jej podziw, nowo zdobyty szacunek. Starannie strzegł swoich wierszy, trzymał je w wielkiej tajemnicy, a teraz, zamiast rozradowania i rozpierającej dumy, jakich się spodziewał, ma tylko dziwne poczucie straty. Czy spodziewał się, że zdobędzie ją dzięki poezji? Czy głupio uważał, że już do niego należy, bo jeden raz uprawiali seks?

– Widzimy się o siódmej? – pyta ona. Oczywiście. Zawsze spotykają się w piątkowe wieczory. Ale wszystko się zmieniło.

Przychodzi kelner i stawia na stoliku filiżanki z kawą.

– *Du sucre* – mówi Philippe. Kelner zawsze zapomina o przyniesieniu cukru.

– Będziesz? – Chantal pyta Philippe'a.

– Dziś wieczorem? Kto wie. Do tego czasu uciekniesz już ze swoim Amerykaninem.

– Dość – Chantal przerywa mu machnięciem dłoni.

Kelner, śpiesząc do innych klientów, stawia na ich stoliku cukiernicę. Philippe wrzuca trzy kostki do swojej filiżanki. Nico spogląda na całującą się parę przy sąsiednim stoliku.

Chantal patrzy na Nico i mówi:

– Chętnie się napiję szampana.

– Zatem o siódmej.

– Ja też będę. – Philippe odstawia głośno pustą filiżankę po espresso.

Nico spogląda na Chantal. Posyła mu uśmiech pełen tajemnic. Czy przeznaczonych dla niego? Nie zna jej, mimo miłosnej nocy, która sprawiła, że codziennie pragnie więcej. Czy pragnie więcej jej? Nawet tego nie wie. Jest oszustem, poetą nie rozumiejącym własnych pragnień. Czy chodzi mu tylko o pożądanie? Nie, to miłości pragnie, tego jest pewien.

– Mam dość Paryża – mówi Chantal.

– Dlaczego?

– Tu jest za dużo hałasu i zbyt szaro. Czasami mam wrażenie, że brak mi powietrza.

Nico rozgląda się wokół. Przy rue de Paradis są *tabac*, *papeterie* i *plombier* – trafika, sklep papierniczy i hydraulik. Zwykła ulica, jak każda w Paryżu, a jednak kocha blask słońca odbijący się od wysokich okien dziewiętnastowiecznych kamienic, kawiarnię zajmującą część ulicy, szybki krok mijających ich przechodniów, wszystkich w pośpiechu i niecierpliwych. Paryż urzekł go od czasu, gdy opuścił Normandię jako osiemnastolatek. Lubi tu nawet nieustające opady. Dziś, choć niebo jest czyste, będzie kolejny atak burzy. Deszcz mu pasuje – gdy ma wolne, siedzi w domu, pisze i słucha jazzu. Ale oczywiście Chantal nienawidzi takiej pogody. Jest stworzona do słońca.

– Jadę do Londynu – oświadcza Philippe. – We wrześniu.

– Nic nie mówiłeś – odzywa się cicho Chantal.

– Mamy tam koncert, nie wiem, może zostanę. Chcemy nagrać płytę. Znajomy naszego perkusisty spróbuje załatwić nam studio.

– To świetnie – komentuje Nico.

Philippe piorunuje go wzrokiem.

Nico sięga do kieszeni po drobne, żeby zapłacić za kawę.

– Przeprowadziłabym się tam, gdzie jest ciepło. I bardzo zielono. – Chantal spogląda na zegarek i wyjmuje z torebki pieniądze.

Philippe rzuca monety na stół i szybko odchodzi bez pożegnania.

– Dlaczego mu powiedziałaś? – pyta Nico.

– Przepraszam.

– Sądziłem, że to dotyczyło tylko nas dwojga.

– Nigdy tak nie jest.

– Dlaczego nie? – Usiłuje spojrzeć jej w oczy, ale ona schyla głowę, przysuwając do siebie filiżankę z resztkami espresso.

– Idąc do łóżka, zabieramy ze sobą innych. Nigdy nie jesteśmy sami.

– Philippe jest wściekły.

– Ponieważ zmieniłam zasady. Nie spodziewał się, że zacznę grać w jego grę.

– A teraz? W co teraz grasz?

Chantal podnosi wzrok. Wyciąga dłoń i dotyka jego policzka.

– Nie wiem. Philippe sprawił, że stałam się kimś innym. Chciałabym znowu uwierzyć w miłość.

Tamtej nocy, kiedy skończyli się kochać, rozmawiali długo w łóżku. Gdy Nico opowiedział jej o swojej licealnej dziewczynie, o tym, jak wykradali się z domów w środku nocy i spali w stodole na stryszku z sianem, Chantal powiedziała: „Młoda miłość uczy kochać. Masz mnóstwo szczęścia. Większość z nas traci wiele lat na zrozumienie miłości". Nico wie, że Chantal wierzy w to uczucie. Ale tamtej nocy była wstawiona, zdradziła swojego chłopaka i teraz chce zapomnieć o tym, co zrobili.

Chantal wstaje i zbiera swoje rzeczy. Z torebką przewieszoną przez ramię rusza w kierunku metra. Odwraca się.

– Mam dość wszystkiego. Jestem gotowa na to, co przyniesie dzień. – Uśmiecha się olśniewająco, pełna nadziei na coś innego, na kogoś innego, i odchodzi.

Nico przygląda się jej. Nie odrywa od niej wzroku. Słońce kryje się za chmurą, potem wraca, zalewając ulicę swoim blaskiem. Chantal znika w wejściu do metra. Nico wyciąga kartkę z tylnej kieszeni i ją rozkłada. Josie Felton. Patrzy na zegarek. Już czas.

Josie i Nico

$\mathcal{J}$osie jest zaskoczona, że korepetytor to mężczyzna, a do tego młody i olśniewająco przystojny. Zastanawia się, czy nie wrócić do tego okropnie współczesnego budynku i nie powiedzieć chudzinie za biurkiem, że ona nie potrzebuje na dziś korepetycji, chce wrócić do pokoju hotelowego i pić oranżadę z wódką.

Korepetytor podaje rękę na powitanie, a ona jest zaskoczona ciepłem jego dłoni – sama od wielu dni marznie. Cofa rękę, jakby się oparzyła.

– Więc uczysz francuskiego – zwraca się do niej po francusku.

– *Oui*. Ale minęło wiele czasu, od kiedy rozmawiałam po francusku z kimś innym niż amerykańskie nastolatki.

Nie wspomina, że minęło wiele czasu, od kiedy w ogóle z kimkolwiek rozmawiała.

Postanowiła wynająć korepetytora dopiero wczoraj, gdy zdała sobie sprawę, że po trzech dniach pobytu w Paryżu powiedziała zaledwie kilka słów – zamawiając croissanta lub kieliszek wina albo prosząc pokojówkę o dodatkowy ręcznik. Nagle perspektywa całego dnia rozmów budzi w niej przerażenie. Nie czuje się do tego zdolna.

– Przyjechałaś do Paryża z powodów zawodowych czy dla przyjemności?

To trudne pytanie. Ani zawodowo, ani dla przyjemności. Rzuciła pracę trzy tygodnie temu, po śmierci mężczyzny, którego kochała.

– Przyjechałam tu, żeby kupić buty – odpowiada w końcu.

On patrzy na jej stopy. Josie włożyła czerwone trampki Converse, te same co zwykle. Jej uczniowie uwielbiali je. Podobnie dawni partnerzy, bez wyjątku luzacy. Ale Simon chciał, by miała czółenka z ośmiocentymetrowymi obcasami, sandałki z paseczkami, czerwone szpilki. Dlatego kupił im bilety lotnicze do Paryża.

– Pójdziemy na zakupy – mówi jej korepetytor.

– Nie, ja…

– Nie ma sensu siedzieć w klasie. Paryż jest naszą klasą.

Rozgląda się dokoła, a ona przyciska dłoń do brzucha – czując gwałtowne skurcze. Nie chce dostać mdłości tak jak wczoraj w metrze. Kolejny powód, dla którego powinna wrócić do pokoju hotelowego pod dawno niewietrzone kołdry.

– Pojedziemy autobusem – postanawia korepetytor. – Więcej zobaczymy i będziemy mieć sporo tematów do rozmowy.

Jego entuzjazm ją dobija.

– Nie przedstawiłem się, jestem Nicolas. Mów mi Nico.

– Josie.

– Josie – powtarza Nico, uśmiechając się, jakby właśnie odkrył coś cudownego. – Chodźmy kupić buty.

* * *

W autobusie Josie zatapia się we wspomnieniach. Sześć miesięcy temu stała na szkolnej scenie, pracując z jednym z uczniów nad jego rolą w sztuce, której premiera się zbliżała. Podniosła wzrok, gdy drzwi do sali otworzyły się i zamknęły, wpuszczając błysk światła i ledwie widoczną sylwetkę wysokiego mężczyzny w czarnym garniturze. Srebrzyste włosy. A potem znowu zrobiło się ciemno.

Spojrzała ponownie na ucznia.

– Proszę bardzo. Spróbuj jeszcze raz – powiedziała łagodnie.

Ale chłopiec patrzył w mrok widowni. Teraz już nie powie swojego tekstu inaczej niż szeptem. Wziąć nieśmiałego młodego człowieka, postawić go na scenie i co dalej? Odkryje swoją wewnętrzną siłę i przeobrazi się na oczach rówieśników? Czego się spodziewała, obsadzając Brady'ego w głównej roli? Myślała, że go ocali. Ale Brady, choć może jest uroczy, słodki i bystry, nie potrafi głośno wypowiedzieć swoich kwestii ani ucałować z głośnym cmoknięciem ust ślicznej Glynnis Gilmore.

– Tata – powiedział chłopiec.

Josie popatrzyła w ciemność. Ten mężczyzna gdzieś tam siedzi. A niech go szlag!

– Zapomnij o swoim tacie. Mamy jeszcze piętnaście minut.

– Nie mogę tego zrobić przy nim. – Brady spojrzał na nią przerażony.

Josie podeszła do chłopca. Stał przy udającej kamień ścianie z papier mâché tak, jakby ta go podtrzymywała – będzie musiała mu pokazać, co ma robić na scenie, żeby wyglądał, jakby się na niej urodził, a nie krył pomiędzy rekwizytami.

– Może tu być w dniu premiery – powiedziała cicho. – Tak samo jak mnóstwo innych ludzi. Musisz zapomnieć o tamtej przestrzeni. To ta tutaj się liczy.

Skinął głową. Długie proste włosy opadły mu na twarz – jak osobista kurtyna. Był chłopcem, jakiego by pokochała w liceum. Może właśnie dlatego go wybrała. Ma dwadzieścia siedem lat, a ciągle zachowuje się jak nastolatka.

– Spróbuj jeszcze raz. Mów do mnie.

Wytrzymał jej spojrzenie. Wziął głęboki oddech. I wyszeptał:

– Nie mogę tego powiedzieć do pani. Nie mogę tego powiedzieć do nikogo.

„Kochaj mnie. Kochaj mnie. Mów to raz za razem – powie mu później. – Mów to tak, jakbyś nakazywał jej to robić, jakbyś zmuszał ją do posłuszeństwa". Ale wtedy, w obecności jego ojca na widowni, wyszeptała:

– Idź do domu. Popracujemy nad tym jutro.

* * *

– Mój syn uważa, że jest pani cudowna. – Mężczyzna patrzył na nią zielonymi oczyma, a ona spoglądała na jego usta, a potem na trójkątne wycięcie szarego swetra pod czarnym garniturem. Srebrzyste kędzierzawe włosy opadające na kark. Nie miała gdzie patrzeć...

– Uważam, że jest całkiem niezły.

– Uczy pani francuskiego i prowadzi kółko teatralne?

– Uczę francuskiego i kręcę się po teatrze.

Uśmiechnął się. Był przystojny. Brady również może któregoś dnia tak wyglądać. Ale ten wielki mężczyzna nigdy nie mógł być nieśmiały ani słodki. Czy to dlatego Brady nie potrafił poradzić sobie z występem na scenie?

– Simon. – Wyciągnął do niej rękę.

– Josie. – Poczuła, jakby za pomocą dłoni przekazywali sobie tajemnicę.

– Czy on sobie poradzi? – spytał Simon, wskazując gestem na scenę. Brady poszedł po książki i kurtkę. Stali niedaleko wyjścia. Josie zapomniała włączyć reflektory. Ciemna sala, zapach drewna niedawno zbudowanej sceny, rzędy pustych siedzeń – czuła się tak, jakby robili coś niedozwolonego.

– Tak – skłamała.

– Zatem jest pani naprawdę dobra.

— Tato! — zawołał Brady, wbiegając po schodach.

— Miło mi było pana poznać.

— Proszę zaczekać.

Nie mogła czekać. Ledwo oddychała.

— Życzę wam miłego wieczoru. — I szybko opuściła salę.

„Kochaj mnie". Była w szoku. Jak powiedziała później swojej przyjaciółce Whitney — opierała się o ścianę w korytarzu, przyciskając scenariusz do piersi. Ojciec jakiegoś dzieciaka. Jeden szelmowski uśmiech, a ona straciła głowę.

— Nawet o tym nie myśl — powiedziała Whitney.

— O niczym innym nie mogę myśleć — wyznała tamtego wieczoru, rozmawiając z nią przez telefon. — Rzucę szkołę i przyłączę się do Korpusu Pokoju.

— Nic nie zrobiłaś — przypomniała jej przyjaciółka.

— On dziś zadzwoni. — Josie była tego pewna.

* * *

— Nie mam dobrego powodu, żeby dzwonić — powiedział.

— Nie mam dobrego powodu, żeby rozmawiać — odpowiedziała.

Przez chwilę milczeli. Josie była już w łóżku od godziny i ciągle wracała myślą do niego, do jego słów, oczu, ust, szyi widocznej w wycięciu swetra, aż poczuła się wyczerpana, jakby ją pobito. Gdy rozległ się dzwonek telefonu, błyskawicznie podniosła słuchawkę.

— I nie robię tego. — Z jego głosu przebijała zaskakująca niepewność. — Nie dzwonię do kobiet, szczególnie tych, które uczą mojego syna, do domu późnym wieczorem.

– Jest pan żonaty.

– Jestem żonaty.

– Przyłączam się do Korpusu Pokoju. Postanowiłam dziś wieczorem.

– Mogę cię zobaczyć, zanim wyruszysz?

Mogła powiedzieć: nie. Mogła powiedzieć: Stracę pracę. Stracę siebie. Ale powiedziała: Tak. Tak.

– Jak zostałaś nauczycielką francuskiego? – pyta korepetytor.

Nico. Zapomina jego imię, gdy tylko przestaje o nim myśleć. On nieustannie mówi, autobus z łoskotem toczy się po ruchliwych ulicach, pasażerowie wsiadają i wysiadają, przepychają się koło nich, zapach kiełbasek wypełnia stęchłe powietrze, a co jakiś czas przestaje mówić i czeka, aż ona coś powie. Wszystko było kiedyś takie proste, przypomina sobie Josie, i świetnie mi wychodziło.

– Moi rodzice nie mieli wiele pieniędzy – Josie odpowiada po francusku i jest zdziwiona, że to wcale nie jest trudne, jakby łatwiej było jej teraz znaleźć obce słowa od angielskich. – Nigdy nie podróżowaliśmy. Czytałam powieść o młodej dziewczynie w Paryżu i chciałam nią być. Więc zaczęłam się uczyć francuskiego, jakbym mówiąc nowym językiem, mogła prowadzić inne życie.

– Udało się?

Patrzy na niego.

– Nie. Ale może spróbuję jeszcze raz.

– Czy to twoja pierwsza wizyta w Paryżu?

– Tak – kłamie. Spędziła tu przedostatni rok studiów. Nie ma zresztą o czym opowiadać, bo mogłaby tylko mówić o chłopakach, o seksie, haszyszu i kacach.

– Przyjechałaś sama?

– Nie – znowu kłamie. – Moja przyjaciółka Whitney odwiedza dziś galerie sztuki. – Nigdy wcześniej nie oszukiwała, a teraz z jej ust wychodzi jedno kłamstwo za drugim. Whitney nienawidzi Paryża i galerii sztuki, a teraz jeszcze nienawidzi Josie. „Jeśli się z nim prześpisz – powiedziała następnego ranka, gdy Josie zwierzyła się jej, że umówiła się z Simonem na drinka – to nie licz na mnie. Jest żonaty, jest stary i jest ojcem twojego ucznia. Wsiądziesz do tego pociągu miłości sama, dziewczyno. I nawet kiedy on się roztrzaska, ja ci nie pomogę".

Gdy nastąpi katastrofa…

– Pokochasz Paryż – mówi korepetytor z niesłabnącym optymizmem. – Już ja o to zadbam.

Josie patrzy na niego zaskoczona.

– Wynajęłam korepetytora francuskiego. Nie ambasadora.

On nie przestaje się uśmiechać. – Nic sobie za to nie doliczam.

Ona odwraca wzrok. Wolałaby, żeby nie wyglądał tak atrakcyjnie i zarazem był nastawiony mniej entuzjastycznie. Wolałaby go nienawidzić, ale wysiada za nim z autobusu, tak jakby miała na to ochotę. Są w tętniącej życiem 6. dzielnicy, przy skrzyżowaniu du Croix-Rouge. Zatrzymuje się na chodniku, ogarnięta paniką. Co ona tu robi? Jaki ma być jej kolejny krok?

– Nie przejmuj się – pociesza ją. – Te sklepy są zbyt drogie. Tylko udajemy.

Udajemy? Chyba go źle zrozumiała? Jak dotąd od czasu śmierci Simona nie robiła nic innego, tylko udawała. Prawdziwy był jedynie głęboki, nie kończący się sen, w jaki zapadała co noc, jakby spadając z urwiska.

– Nie rozumiem – odpowiada Josie.

Nico bierze ją pod rękę i prowadzi bezwolną na drugą stronę ulicy, w tłumie innych. Jest zadziwiona, że to takie proste – on prowadzi, ona idzie. Wczoraj, nie mając nikogo u boku, stała sparaliżowana przed bramą cmentarza Père-Lachaise ponad godzinę. Chciała zobaczyć – co? Grób Morrisona? Grobowiec Oscara Wilde'a? W końcu zwymiotowała za drzewem, wróciła metrem do hotelu i zagrzebała się znowu pod kołdrą.

Nie powinna była przyjeżdżać do Paryża. Należało wyrzucić bilety. Miejsce w samolocie obok niej było puste. Miejsce Simona – w klasie biznes – stale przypominało jej o tym, co powinno być. Szampan, wino, długie rozmowy o Montmartrze i Giverny, szeptane obietnice, może nawet dłoń wędrująca pod kocem. Zamiast tego połknęła dwie tabletki nasenne i obudziła się w Paryżu, półprzytomna i zdezorientowana.

– Co powiesz na te? – pyta korepetytor. Nico. Jeśli zdoła zapamiętać jego imię, wydostanie się z magmy

35

swoich myśli i wróci do Paryża. Buty. Nico trzyma na wysokości jej twarzy buty z turkusowej lakierowanej skóry. Mają dziesięciocentymetrowe obcasy przypominające sztylety.

– Doskonałe.

– Te przymierzymy – mówi Nico do jakiejś kobiety.

Są w sklepie z butami, ale Josie nie pamięta, że do niego wchodziła. Sprzedawczyni wie, że to podstęp – patrzy na Josie z pogardą, jakby jej czerwone trampki kalały białą marmurową podłogę. Josie informuje, że nosi rozmiar trzydzieści osiem, a sprzedawczyni mamrocze pod nosem: – *Américaine.*

Nico siada koło niej na otomanie obitej skórą zebry.

– Masz doskonały akcent – szepcze. – To buty cię zdradzają.

– Ile kosztują te niebieskie? – pyta go.

– Twoją całą pensję. Nawet o tym nie myśl. Udajemy.

– Ona wie.

– I co z tego. Oprócz nas nie ma nikogo innego w tym idiotycznym sklepie.

Częścią wystroju wnętrza są plastikowe świnki zwisające z sufitu. Wszystko jest z lakierowanej skóry, nawet minispódniczka sprzedawczyni i jej buty tancerki erotycznej.

Kobieta stawia pudełko koło Josie.

– Mamy tylko trzydzieści dziewięć. – Odchodzi.

– Nawet moje stopy są zbyt małe na to miejsce – Josie szepcze do Nico.

– Twoje stopy są idealne.

– Mam chłopaka. – Nie może powstrzymać się od tego kłamstwa.

– Zdziwiłbym się, gdyby było inaczej.

Jest dziwnie zadowolona. Przez sześć miesięcy ani razu nie mogła powiedzieć: „Mam chłopaka". Nie mogła powiedzieć: „Idę na kolację z moich chłopakiem w środę wieczorem. Mój chłopak przyjeżdża do mnie do San Francisco na weekend. Jadę z moim chłopakiem do Paryża". Przez pół roku jej szczęście było tajemnicą. Teraz żałoba jest tajemnicą. Nie ma prawa do chłopaka. I nie ma prawa do żałoby po nim.

Nico wyjmuje buty z pudełka i podaje jej jeden. Nadzwyczajna rzecz, taka szpilka. Trzyma ją w obu dłoniach, zachwycając się.

– Włóż – namawia Nico.

Zdejmuje trampki. But pasuje, mało tego, przylega idealnie do stopy i jest tak gładki, jakby to była jej nowa skóra. A ona potrzebuje nowej skóry. Może są nią właśnie te turkusowe buty seksownego kociaka. Zakłada drugi i wstaje.

Chwieje się. Chichocze, a dźwięk własnego śmiechu zaskakuje ją. Patrzy na mężczyznę i czuje, że się rumieni.

– Tylko spójrz na siebie – mówi Nico.

Josie zerka w lustro. Jest ubrana w dżinsy i czarną koszulkę bez rękawów, a buty przeobraziły ją w kogoś zupełnie innego. Jest wysoka, wyższa niż kiedykolwiek była. Schudła w ciągu minionych kilku tygodni, widzi wystające kości policzkowe i obojczyki. Nie jest nauczycielką, ale kobietą, która sama przyjechała do Paryża. Jej partner nie mógł jej towarzyszyć, ale ona wróci z butami, które go zachwycą. Josie uśmiecha się, a postać w lustrze odwzajemnia diaboliczny uśmiech.

– Wezmę je – stwierdza.

Nico śmieje się.

– Żałuję, że nie mogę ci ich kupić.

– Poważnie. Chcę je.

– Kosztują czterysta euro.

Josie wydaje się, że zwymiotuje. I w tej samej sekundzie zamiast zastanawiać się nad kupnem butów za tak astronomiczną cenę, liczy tygodnie mijające od czasu, kiedy kochała się z Simonem, tygodnie od ostatniego okresu. Ciąża. Jest tego pewna, gdy patrzy do lustra. To ten sam naprężony brzuch, ta sama wąska talia. Ale w środku jest dziecko Simona.

– Chodźmy – mówi do korepetytora. Nie pamięta jego imienia. Chwiejąc się na obcasach, wraca do otomany i siada ciężko koło niego. Nie jest w stanie zdjąć butów. Sprzedawczyni, oparta o ścianę przy swoim stoliku, uśmiecha się z wyższością, a różowa świnia z zadartym ryjem wiruje pod sufitem.

Josie garbi się, opuszcza głowę między nogi.

– Dobrze się czujesz? – pyta korepetytor. Kładzie dłoń na jej plecach. Jego ręka parzy, ciepło przenika przez cienką koszulkę, ogarnia jej ciało i ogrzewa brzuch.

– Nie – odpowiada Josie, oddychając głęboko.

* * *

– Hej, Josie, podejdź tu! – zawołał Brady z drugiego
końca sali.

Podniosła wzrok. Chłopiec zazwyczaj zwracał się do
niej pani Felton. Nalegała, żeby jej uczniowie nazywali
ją Josie, i obserwowała, jak męczą się z tym imieniem,
dziecięcym imieniem nauczycielki, młodej nauczycielki, która ubierała się tak samo jak oni, nauczycielki,
która nienawidziła domagać się szacunku innego niż
ten, na który sama sobie zapracuje.

Stał koło bufetu, trzymał plastikową szklankę, jakby miał w niej dżin z tonikiem i obejmował atrakcyjną
starszą kobietę. To był zupełnie nowy Brady, gwiazda
przedstawienia.

Josie ruszyła w jego kierunku, myśląc: Tak, to jednak wykapany syn swojego ojca, w podobny sposób
przechyla głowę i ma ten śmiały uśmiech przyciągają-
cy spojrzenia. Josie zatrzymała się i ktoś wpadł na nią
z tyłu. Atrakcyjna kobieta stojąca obok Brady'ego była
jego matką. Josie szła poznać żonę swojego kochanka.

– Mamo, to jest Josie. Pani Felton. Reżyserka!

Josie uścisnęła wyciągniętą do niej rękę i na dłoni
kobiety zauważyła brylant. Podniosła wzrok i zareje-
strowała ciepłe spojrzenie, szeroki uśmiech oraz ma-
lutką bliznę w kształcie półksiężyca na wydatnej kości
policzkowej.

– Chciałam pani podziękować – powiedziała kobieta. Miała głęboki i słodki głos. Piękny głos.

Josie, której nigdy nie brakowało słów, tym razem oniemiała. Matka Brady'ego położyła dłoń na jej ramieniu.

– Tyle pani dla niego zrobiła – wyszeptała konspiracyjnie.

– Mamo – poskarżył się Brady.

– Jest dobry – wybąkała głupio Josie, jakby na nic innego nie umiała się zdobyć.

– Jest fantastyczny, ale do dziś nikt o tym nie wiedział. Tylko jego ojciec i ja. Nawet Brady nie był tego świadom.

Josie wpatrywała się w nią.

– Ale pani musiała wiedzieć – upierała się kobieta.

– Mamo… – Brady potrząsnął głową. – Rodzice i nauczyciele nigdy nie powinni się spotykać.

– Poznała pani mojego męża?

– Nie.

– Tak – sprostował Brady. – Któregoś dnia na próbie.

– Zapomniałam. Przyszedł dzisiaj?

Wiedziała, że jest w San Francisco. Wieczorem miała do niego pojechać i zatrzymać się w jego garsonierze.

– Ma spotkanie w mieście – odpowiedział Brady. – Będzie jutro.

– Zrobiła pani coś wspaniałego. – Kobieta nadal trzymała Josie za ramię. – W tym momencie, gdy syn mówi: „Czy mnie kochasz", nie: „Czy będziesz mnie kochała", jak to było…

– Kochaj mnie – odezwał się Brady, jego głos był cichy, a oczy przesłonięte opadającymi włosami.

– Właśnie – ciągnęła jego matka. – Kiedy powiedział tak do tej dziewczyny – która była świetna, a jaka z niej piękność – cóż, niemal się popłakałam, nie wiem czemu. Po prostu… jakoś to na mnie podziałało.

– To dobry moment w sztuce – powiedziała Josie.

Kobieta była urocza. Ciepła, bezpośrednia i tryskająca energią. Josie wolałaby sekutnicę. Tymczasem matka Brady'ego uśmiechnęła się i orzekła: – Ma pani dar.

* * *

Weszli po schodach na drugie piętro. Josie patrzyła na drzwi mijanych mieszkań w szeregowcu w dzielnicy Russian Hill i bezgłośnie błagała: nie wychodźcie. Nie miała pojęcia, co Simon powiedziałby swoim sąsiadom. To nauczycielka mojego syna! To moja kochanka! To jest Josie, poznałem ją zaledwie kilka tygodni temu i właśnie prowadzę do siebie na szybki numerek!

Otworzył drzwi do mieszkania i Josie szybko wśliznęła się do ciemnego pomieszczenia. On sięgnął do włącznika światła i zamykając za sobą drzwi, objął ją.

– Ty drżysz – powiedział.

– Boję się. Czuję się, jakbym była złodziejem włamującym się do czyjegoś domu.

Obrócił ją twarzą do siebie.

– Popatrz na mnie. – Podniósł jej podbródek.

Spojrzała mu w oczy, uśmiechnęła się i nagle wszystko zrobiło się proste. Wyglądał na tak przekonanego, jak gdyby nie istniały absolutnie żadne wątpliwości, że powinni tu stać, objęci i wpatrzeni w siebie. Może jej

41

obawy są dziecinne, niedojrzałe. Starsza kobieta potrafiłaby to zrobić bez trzęsących się kolan.

– Poznałam twoją żonę – powiedziała.

– Ćśśśśs. – Nachylił się, żeby ją pocałować. Czuła, jak serce łomoce jej tuż przy jego piersi. A potem zatraciła się w pocałunku i na moment o wszystkim zapomniała. Po chwili cofnął usta, złapała oddech.

– Co jest nie tak? – spytał.

– To miejsce należy do niej.

– Nie. Naprawdę jest moje. To znaczy nasze, ale ona prawie tu się nie pojawia. Zatrzymuję się tutaj, gdy mam ranne lub wieczorne spotkania. Bardzo rzadko, gdy przyjeżdżamy do teatru lub na kolację, nocujemy tu razem.

Josie odsunęła się od niego i rozejrzała wokół siebie – wszystko w skórze i ciemnym drewnie, a niemal całą ścianę zajmował obraz przedstawiający chłodny niebieski ocean. Na środku na druciku wisiał model samolotu. Josie wyciągnęła rękę i dotknęła go – zawirował w powietrzu.

– Mam licencję pilota – wyjaśnił Simon. – To model mojego małego samolotu.

Josie spojrzała na niego.

– Twoja żona jest doskonała – powiedziała. – Chodzi mi o to, że jest inna, niż się spodziewałam.

– Kogo się spodziewałaś?

– Kogoś, kogo mogłabym nienawidzić.

– Nie zakochałem się w tobie z powodu nienawiści do żony.

– Dlaczego się we mnie zakochałeś? – Josie odwróciła wzrok od długiej grzywiastej fali na obrazie i spojrzała mu w oczy.

– Nie mogłem nic na to poradzić – odpowiedział prostolinijnie. – Zobaczyłem cię tamtego dnia na scenie, nie wiem... zaczarowałaś mnie. Czy to możliwe?

– Przyprowadzałeś tu inne kobiety?

– Nie. Mówiłem ci. Nigdy mi się to wcześniej nie zdarzyło.

– Jestem idiotką. Wierzę ci.

Wziął ją w ramiona.

– Daję słowo.

Całowali się, ona wtulała się w niego, obejmując go w pasie i przyciągając bliżej do siebie. Między nimi było zdecydowanie za dużo warstw ubrań. Zaczęła zdejmować z niego płaszcz.

– Poczekaj. Tu jest łóżko. Muszę je otworzyć.

Odwróciła się zaskoczona. Byli w garsonierze i zdecydowanie nie było tu mebla do spania.

Simon odsunął regały na bok, odsłaniając łóżko chowane w ścianie.

– Niesamowite – powiedziała.

Pociągnął za sznur i łóżko delikatnie opadło. Było starannie zasłane – bladoniebieska pościel i szary koc.

– Nie mogę – powiedziała. Czuła ściskanie w gardle.

Simon spojrzał na nią.

– To jest jej łóżko. Tutaj sypiasz ze swoją żoną.

– Josie.

Pokręciła przecząco głową.

– Czuję się jak Złotowłosa w cudzym domu. Nie mogę.

– Pościel jest świeża. Zmieniłem ją dziś rano.

– Nie.

Podszedł do niej i ponownie wziął w ramiona.

– Ona nigdy się nie dowie – powiedział.

– Jedźmy stąd. Dokądkolwiek…

* * *

Później, w pokoju hotelowym na czternastym piętrze hotelu Clift, leżeli wtuleni w siebie i objęci po seksie, czekoladkach Ghirardelli, szkockiej i kolejnej miłosnej sesji.

– Jak poszło Brady'emu? – spytał Simon.

Josie spojrzała na niego.

– Zastanawiałam się, czemu wcześniej o to nie spytałeś.

– Powinienem był przyjść.

– Przyjdziesz jutro.

– Nie chciałem być tam z żoną. Nie chciałem stać obok niej i podawać ci ręki. Ona mnie zbyt dobrze zna.

Josie wdrapała się na niego. Spojrzała w twarz Simona.

– Nie możemy tego robić, prawda?

– Musimy to robić.

Przyciągnął jej twarz do swojej i pocałował.

– Dlaczego?

– Ponieważ muszę temu zaufać. Wiem, czym jest miłość. Kocham moją żonę, kocham mojego syna –

nie będę cię okłamywał. Ale nigdy nie czułem takiej, nie wiem… potrzeby, takiego pożądania… – Przyciągnął ją bliżej do siebie i dokończył, szepcąc jej do ucha: – …wcześniej.

Josie przyglądała mu się przez chwilę.

– Nie wiem, jak to nazwać. Miałam chłopaków, ale to co innego. Co to jest?

– Miłość.

Josie słyszy rozmowę sprzedawczyni i korepetytora. Słyszy słowa *petite amie*: ukochana, dziewczyna. Czy pańskiej dziewczynie często to się zdarza?

Korepetytor jej nie poprawia. – Nie – odpowiada. – Źle się dziś czuje.

Josie płucze ręce w malutkiej umywalce na zapleczu sklepu i zastanawia się, czy nie wsunąć jakichś butów do torby. Nigdy niczego nie ukradła – ale kto wie, do czego może być teraz zdolna? Sprzedawczyni nie chciała wpuścić jej do łazienki swojego świnkowego sklepu, ale Josie pomaszerowała za kotarę i znalazła toaletę, gdzie zwymiotowała grzecznie do sedesu zamiast na marmurową podłogę. Z pudełka stojącego na półce wyjmuje parę czerwonych butów – butów Dorotki z krainy Oz – i stuka obcasami.

Wszędzie dobrze, ale w domu najlepiej, powtarzała w myślach zaklęcie Dorotki.

Dlaczego miałaby wrócić do domu w niedzielę? Dlaczego nie zatrzymać się w Paryżu, dlaczego nie zostać dziewczyną Nico i złodziejką drogiego obuwia?

Odstawia buty na półkę. Wraca do części wystawowej.

– *Ça va?*, W porządku? – pyta Nico. Wygląda na zaniepokojonego. Zapewne rzadko trafia na ciężarne wariatki.

– *Ça va* – wzdycha Josie i uśmiecha się do niego. Biedaczek. Zasługuje na lepszą dziewczynę.

– Nie chcę tych butów – mówi do sprzedawczyni. – Wygląda na to, że mam na nie alergię.

Nico, potakując, bierze ją pod ramię i prowadzi do wyjścia.

– Czy twój chłopak wie? – pyta, gdy już są na ulicy i stoją blisko siebie pośród tłumu przechodniów.

Josie nie jest zaskoczona; ten korepetytor zna się chyba na wszystkim. Dlaczego więc nie miałby odgadnąć jej tajemnic? Potrząsa przecząco głową.

– Czy będzie szczęśliwy? – pyta Nico.

– Tak – odpowiada Josie z przekonaniem. – Będzie bardzo szczęśliwy.

– Dobrze. Kiedyś zerwała ze mną dziewczyna, a miesiąc później zadzwoniła i poinformowała, że jest w ciąży. Chciała urodzić. Powiedziałem, że będę dziecko wychowywał razem z nią. Odpowiedziała, że wyprowadza się do Maroka i od czasu do czasu wyśle mi zdjęcie. Nigdy więcej się nie odezwała.

– To okropne.

– Stale o niej myślę. Dziecko miałoby teraz trzy lata. Odwiedzam place zabaw i wypatruję jego albo jej.

Po niebie przetacza się grzmot.

– Znajdźmy jakieś miejsce – mówi Nico – zanim zacznie padać.

Ale niebo ciemnieje natychmiast i siecze w nich deszcz. Josie czuje, jak ciepła ręka obejmuje jej plecy i Nico prowadzi ją wzdłuż rue de Grenelle. Nie przeszkadza jej deszcz; nie przeszkadza jej jego ręka. Postanawia poddać się temu, co się dzieje. Tak łatwiej niż walczyć, jak robiła codziennie w ciągu ostatnich tygodni.

Nico otwiera jakieś drzwi. Wchodzą do środka. To małe muzeum, choć w ogóle go nie przypomina, jest nakryte sklepieniem, a ściany i podłoga są z bladego marmuru. Na tabliczce napis: „MUSÉE MAILLOL". Za biurkiem siedzi nastolatek i żuje gumę, nawet nie podnosi wzroku. Josie rozgląda się – poza nimi w budynku nie ma chyba nikogo. W głębi westybulu stoi ogromny posąg nagiego człowieka. Nico prowadzi ją do biurka i kupuje dwa bilety.

– Ja zapłacę – mówi Josie.

– Nie. Proszę.

Chłopak robi z gumy balon, aż ten pęka, i wpycha komiks pod ladę. Podaje im bilety i katalog wystawy: *Marilyn Monroe: Ostatnie zdjęcia*.

Przechodzą przez obrotową bramkę. Nikt nie sprawdza biletów. Gdy Josie patrzy za siebie, widzi, że chłopak wrócił do czytania komiksu. Przez chwilę wygląda jak Brady, poważny i nieśmiały. Brady w przeszłości, zanim został gwiazdą.

47

Josie kładzie sobie rękę na brzuchu. Mdłości minęły, a teraz kręci się jej w głowie. Jest trochę oszołomiona. Nigdy nie była w ciąży i nie zastanawiała się nad posiadaniem dziecka. Sądziła, że to zdarzy się za wiele lat, kiedy będzie miała męża i zamiast uczyć, zacznie pisać sztuki teatralne, co jest jej prawdziwą pasją. Wyobrażała sobie młodego męża, domek za miastem, kilka dużych psów i ogródek warzywny.

Ale jest w ciąży bez męża, pracy, domu, psów. Mało tego, ma tylko to dziecko.

Ono się jej nie należy. Myśli o żonie Simona – widzi ją dokładnie podczas ceremonii pogrzebowej. Miała skórę barwy popiołu, a oczy płaskie jak jezioro. Kobieta nie pamiętała Josie. Skinęła głową, przyjmując kondolencje, które nie znaczyły dla niej nic. Nic nie mogło załagodzić jej cierpienia. Jakie prawo miała Josie do swojej żałoby?

– Tragiczna postać, co? – pyta korepetytor.

Josie podnosi wzrok. Natrafia na spojrzenie Marilyn Monroe, z lekko rozchylonymi ustami, z półprzymkniętymi oczami. Gwiazda wygląda na odurzoną seksem, alkoholem, śmiercią, jakby była gotowa umrzeć. Oczy Josie wypełniają się łzami. Robi krok do tyłu, odsuwa się od uwodzicielskiego spojrzenia. Są w galerii, a dokoła nich pełno Marilyn. Na każdym zdjęciu – a fotosy są olbrzymie, ledwo mieszczą się w salach – jest Marilyn. Marilyn z odchyloną głową i uśmiechem zaspokojenia, Marilyn zaciągająca się papierosem. Marilyn wydymająca usta, Marilyn z dłonią na krągłym biodrze, wyciągnięta na kanapie, składająca się w ofierze. „Kochaj mnie".

– Zabiła się trzy dni po zrobieniu tego zdjęcia – czyta Nico z broszury.

– Widać, że była gotowa – mówi Josie.

– Umrzeć?

– Poddać się śmierci. Tu wygląda, jakby już umierała.

– Urodzisz to dziecko, tak?

Josie patrzy na niego. Nico. Ma najłagodniejsze oczy, jakie widziała. Wyobraża sobie jego dziecko z takimi właśnie oczami. To chłopiec – trzyma swoją mamę za rękę, idą przez rynek w Marrakeszu. Ma jasne włosy i wszyscy przystają, żeby popatrzeć na uroczego malca.

– Tak. – W chwili gdy to mówi, wie, że tak będzie. – Jest mój.

– To chłopiec?

– Tak sądzę. – Nosi w sobie dziecko Simona. To niesprawiedliwe… Jego żona nie ma nic. A ona ma dziecko.

– Twój chłopak ma ogromne szczęście.

Uśmiecha się, ale po chwili wykrzywia usta, a z oczu płyną łzy.

– Nie chciałem… – mówi Nico.

– Nie, nie. To przez te zdjęcia. Są takie smutne. Spójrz na to. – Odwraca się do ściany i twarzy Marilyn. Słyszy deszcz bijący o szklany dach nad dziedzińcem. Brzmi jak złowróżbna muzyka filmowa – nadchodzi wroga armia albo szaleniec zaraz włamie się do czyjegoś domu. Josie krzyżuje ramiona na piersiach. Jej skóra ciągle jest mokra od deszczu i nagle czuje przejmujące zimno.

– Czy ona miała romans z waszym prezydentem Kennedym? – pyta Nico.

– Zdaje się, że tak. Najwyraźniej w tamtych latach amerykańskim prezydentom takie rzeczy uchodziły na sucho.

– Już nie. Tu śmiejemy się z tego, co zdarzyło się Clintonowi. Dlaczego kogoś miałoby to obchodzić?

– Oprócz jego żony – mówi Josie.

– Tak. To prywatna sprawa. Nie ma związku z polityką.

– Zastanawiam się – Josie wpatruje się w rozmarzone oczy Marilyn – z czym to się wiąże. Dlaczego mężczyźni zdradzają i idą do łóżka z ładnymi dziewczynami.

– Gdy znajdą się w ramionach pięknej kobiety, są niezwyciężeni.

– To powinni w nich zostać – szepcze Josie.

– Czy nadal mówimy o waszych prezydentach?

Josie nie odpowiada. Spaceruje wzdłuż ściany obwieszonej wizerunkami Marilyn. Czuje się nią upojona; lekko podniecona i niedbale ubrana, jakby to z jej ciała zsunęła się pościel.

Któregoś razu, po tym jak się kochali z Simonem w jej domku, zasnęła. Gdy się obudziła, zobaczyła go stojącego przy łóżku i przyglądającego się jej. Był już ubrany, gotowy do wyjścia i czekał, żeby się pożegnać. Nie chciał jej jednak budzić. Powiedział, że stoi już tak pół godziny i chociaż wie, że jest spóźniony na spotkanie, to nie może oderwać od niej wzroku.

– Wróć do łóżka.

Tak zrobił.

To widać w ustach Marilyn, w jej oczach, łuku jej pełnego biodra. „Wróć do łóżka".

Nico zatrzymuje się obok Josie.

– Masz teraz dziewczynę? – pyta go. *Une petite amie.* Uwielbia to francuskie określenie – mała przyjaciółka. Nawet chłopak to *un petit ami.*

– *Non.* Czekałem na ciebie.

– Ale ja jestem zajęta.

Ton ich rozmowy jest tak lekki jak dym unoszący się z papierosa Marilyn.

Tu, w sali pełnej Marilyn, wszystko przesiąknięte jest seksem. Zupełnie jakby dopiero co go uprawiali, a teraz znowu mieli zacząć. „Wróć do łóżka".

– Gdybyś była zajęta – mówi Nico – nie byłabyś taka smutna.

* * *

– Dlaczego nie masz chłopaka? – spytał ojciec Josie, pojawiając się w jej domku rano, dzień po tym, jak wróciła z San Francisco, dzień po tym, jak zatrzymała się z Simonem w Clifcie.

Siedział w jej malutkiej kuchni, pił kawę, prawdopodobnie piątą czy szóstą tego dnia. Przejechał z San Jose do Marin, żeby zrobić jej niespodziankę. Była rocznica śmierci jej matki. Pamięć o niej będzie im towarzyszyła przez cały dzień, mimo że w ogóle nigdy o niej nie mówili. Nie poruszą tego tematu. Będą rozmawiali jedynie o świetnej pracy Josie w liceum prywatnym, o jego marnym sklepie spożywczym, o jej dawnej najlepszej przyjaciółce, która mieszka obok swojej starej matki, o szmerach w jego sercu pojawiających się w środku nocy. O wszystkim, ale ani słowa o zmarłej.

– Nie mam czasu, tato. Zbyt ciężko pracuję.

– Młoda dziewczyna nie powinna tyle pracować.

– Ale ja to lubię. Kocham.

– Kochasz. Kochać to trzeba chłopaków, nie pracę.

Ojciec wygląda staro, niemal całkiem wyłysiał, jego skórę pokrywają plamy, a skóra na twarzy obwisła. Szybko policzyła – został ojcem, mając trzydzieści pięć lat – jest zaledwie dziesięć lat starszy od Simona. To niemożliwe, pomyślała. Simon jest w dobrej formie i ma jędrne ciało, choć gdy spał, widziała, jak jego skóra rozluźnia się w sposób, który ją zaskakiwał, jakby odczepiała się od mięśni, kości, a Simon przez to nagle stawał się bezbronny. Poruszało ją to, jakby on też potrzebował kogoś, kto się o niego zatroszczy.

Ale ojciec jest stetryczały i nie ma kontaktu z jej światem. Simon nie wydawał się stary. Owszem, lata świetlne dzieliły go od chłopaków, w których zwykle się zakochiwała – długowłosych, mamroczących coś pod nosem, w pomiętych ubraniach. Chłopaków, którzy zbyt szybko dochodzili podczas stosunku i mieszkali w suterenach przesiąkniętych zapachem marihuany i piwa.

– Dbasz o siebie, tato? Nadal chodzisz codziennie na spacery?

– Myślisz, że siedzę i nic nie robię? Uważasz, że przytyłem?

– Nie tyjesz, tato. Świetnie wyglądasz.

– Bredzisz.

Uśmiechnęła się. Tak właśnie robili jej rodzice, tak się handryczyli. Tata był rozanielony, jakby prezentował muskulaturę przed podziwiającym go tłumem.

– Martwię się o ciebie.

– Nie masz powodu – powiedziała spokojnie. – Radzę sobie.

– To kim jest ten chłopak?

– Nie ma żadnego chłopaka, tato. Już ci mówiłam.

– Masz jakieś ciasto? Może kawowe?

Josie wstała i podeszła do spiżarki. Wyjęła bochenek pełnoziarnistego chleba, ukroiła kilka kromek i włożyła je do tostera. Gdy sięgała po dżem, masło, talerze i noże, ojciec opowiadał jej o nowym chłopaku Emily, prawniku z San Jose.

– To dobrze, cieszę się z jej szczęścia – powiedziała, stawiając tosty przed tatą.

– Ty i Emily kiedyś byłyście najlepszymi przyjaciółkami. Nie chciałaś się nigdzie ruszyć bez tej dziewczyny.

– To było dawno temu, tatku.

– Nazywasz to ciastem kawowym?

– Nic innego nie mam.

– Powinienem był cię uprzedzić, że przyjadę. Mogłabyś kupić ciasto.

– Kupiłabym ci ciasto, tato – uśmiechnęła się Josie.

– Czasem lubię zrobić małą niespodziankę. Ale muszę potem za to płacić. – Podniósł pełnoziarnisty tost.

– Weź dżem – nalegała Josie. – Sam chleb to za mało.

– Więc co stało się z tobą i Emily?

– Nic, tato. Życie. Dorosłyśmy. Ja się wyprowadziłam, ona została. Ludzie się zmieniają.

– Ja się nie zmieniam.

– Bogu dzięki.

– Nabijasz się ze mnie?

– W życiu.

Uśmiechnął się, a ona pomyślała o matce, jak siedziała koło niego, oboje niscy i nieco grubawi, sprzeczali się o wszystko, klepiąc jedno drugie po ramieniu jak jakaś małżeńska wersja slapstikowych komików. Josie zawsze była zawstydzona swoją miłością do nich, a potem, gdy zmarła matka, tęskniła za tym ich hałasowaniem.

– Mógłbyś mieć dziewczynę – powiedziała łagodnie. – Minęło już dość czasu.

– Ha. Myślisz, że gdzieś na świecie jest druga Franny?

– Nie.

– Nie ma.

– Wiem. Ale następna może być inna.

– Nie ma następnej.

– Mógłbyś spróbować.

– Chcesz, żeby Emily spytała swojego miłego chłopaka, czy w jego firmie znajdzie się jakiś jego znajomy dla ciebie?

– Nie, tato.

Zadzwonił telefon. Podbiegła do niego.

– Halo.

– Tęsknię za tobą.

– Przyjechał mój tata. Oddzwonię później, dobrze?

– Nie, jadę na spotkanie. Chciałem ci tylko powiedzieć…

Nic nie powiedział. Czekała. I patrzyła na swojego ojca, który z nieszczęśliwą miną obracał w dłoniach tosta.

– Będzie u ciebie wieczorem?

– Nie.

– Przyjadę.

– Nie.

– Dlaczego?

– Hej, Whitney. Mój tata chce, żebym zaczęła chodzić na randki. Znasz jakichś odpowiednich kawalerów, z którymi mogłabyś mnie umówić?

– Nie mów tak.

– Dobrze, zastanów się. Ma rację. Powinnam mieć chłopaka. Powinnam się w kimś zakochać i przyprowadzić go, żeby poznał tatę.

Tata pokiwał głową, uśmiechając się ustami usmarowanymi dżemem malinowo-jeżynowym.

– Chciałem ci powiedzieć, że się w tobie zakochuję – powiedział Simon.

– To szalone. Musisz znać jakichś chłopaków. Niemożliwe, żeby wszyscy dobrzy byli już żonaci.

– Przestań.

– Spodobałbyś się mojemu tacie – mówi Josie do Nico. Stoją obok siebie wpatrzeni w zdjęcie Marilyn, okrytej tylko przezroczystym szalem udrapowanym na ciele.

– Nie twojej mamie? Zwykle to je oczarowuję.

– Moja mama nie żyje.

Josie przechodzi do następnej fotografii – Marilyn powoli i leniwie zaciąga się papierosem.

– Rak płuc. Osiem lat temu. Nie zapaliła ani jednego papierosa w życiu.

– Przykro mi.

– Mój ojciec palił. Rzucił w dniu, w którym rozpoznano u niej raka. Było już za późno.

– Byłaś taka młoda.

– Coś ci opowiem. Nigdy tego nikomu nie mówiłam. O śmierci mojej matki.

Nico wygląda na zadowolonego. Ten chłopak jest zdecydowanie za łatwy.

– Tamtej zimy rodzice byli w Palm Springs, gdzie zatrzymali się na miesiąc u mojej ciotki. Poleciałam do nich kilka dni przed śmiercią mamy, a potem wróciłam samolotem razem z tatą. Transportem ciała mamy zajęła się firma pogrzebowa – tato chciał ją pochować na cmentarzu w pobliżu domu. Spakowałam rzeczy, w które miała zostać ubrana do trumny. Gdy czekaliśmy na nasz bagaż na lotnisku w San Francisco, stojąc przed… – Josie urwała. Nagle znajduje się tam, już nie opowiadając historii. W Palm Springs było parno, a teraz zrobiło się lodowato, nawet na lotnisku. Jej płaszcz jest spakowany w walizce, a ona stoi, szczękając zębami, i czeka na bagaże.

– Tak?

– Nie znam tego słowa.

– Jakiego słowa.

– Na to, na co spadają walizki… Mój Boże, nie pamiętam tego słowa po angielsku.

– *Le carrousel de bagages?*

– Tak. Taśma bagażowa. O to mi chodziło.

– Opowiedz mi, co się wydarzyło.

Josie czuje, jak wzbiera w niej panika. Rozgląda się. Marilyn, papieros, martini, stulone do pocałunku wargi, długie wymanikiurowane paznokcie. Marilyn, Marilyn. Jest pijana od nadmiaru Marilyn.

– Stoimy tam wszyscy, patrząc na taśmę, i pierwszy spada but – nie walizka, ale pojedynczy but. Taśma przesuwa się i gdy mija mnie drugi raz, rozpoznaję go. Granatowy but mojej mamy. Ktoś się zaśmiał. Chwyciłam go i wetknęłam pod ramię, zawstydzona tą sytuacją. A potem z rękawa zsunęły się majtki – nie żartuję – kwieciste majtki mojej matki. Te, które wyjęłam z jej szuflady, żeby ją w nich pochowano. Za chwilę jej bluzka. Brzoskwiniowa jedwabna bluzka, którą zakładała na szczególne okazje. Niemal sfrunęła, jakby nosił ją jakiś pieprzony duch. Chwytałam każdą rzecz i trzymałam ją w ramionach. Jej stanik. Wyobraź sobie: wszyscy na to patrzą. Na taśmę opadł jej różowy biustonosz z miseczką C. Ojciec odszedł. W końcu zsunęła się moja walizka. Była częściowo otwarta, a z niej wypadały rzeczy. Chwyciłam ją i zaczęłam wszystko wpychać z powrotem do środka.

Josie płacze, łzy spływają jej po twarzy, a ona nie może przestać. Nico przyciąga ją do siebie i obejmuje. Josie pozwala mu na to. Wyciera łzy, ale nic ich nie powstrzyma.

Simon odszedł.

* * *

– Siedziałem w samochodzie po drugiej stronie ulicy. Czekałem, aż twój ojciec wyjedzie.

Josie wyciąga dłoń i kładzie ją na piersi Simona.

– Chciałem podejść do niego i powiedzieć: Ja jestem chłopakiem Josie. Ona nie potrzebuje żadnego innego.

– Ale to nieprawda. Nie jesteś moim chłopakiem. Jesteś cudzym mężem. Jesteś mężczyzną, do którego się wykradam, żeby uprawiać seks. To przez ciebie nie rozmawiam już nawet z najlepszą przyjaciółką.

– Nie mów tak.

– Nie mogę sprawić ojcu jedynej przyjemności, o której marzy.

– Wiem, Josie. To dlatego siedziałem w samochodzie przez ostatnie dwie godziny.

– Dziś wieczorem masz sztukę Brady'ego. Zaczyna się za godzinę.

– Nie mogę iść.

– To może poczekać. Brady nie może czekać.

– Nie mogę ci dać nic więcej niż tylko to.

– Wiem o tym. Nie proszę o więcej.

– Prosisz o człowieka, którego mogłabyś przedstawić swojemu ojcu.

– Po co tu jesteś? Czego chcesz?

– Ciebie.

– Już po deszczu – mówi Nico. – Chodźmy na lunch.

Josie znajduje chusteczkę w torebce i wyciera twarz. Przestała płakać, ale czuje się obolała. Kiedy dowiedziała się o Simonie, gdy Whitney zadzwoniła w sobotni ranek i kazała jej włączyć telewizor, nie była w stanie płakać – ani krzyczeć czy szaleć. Usiadła oszołomiona przed komputerem, wyszukując wiadomości, starając się dowiedzieć wszystkiego o wypadku małego samolotu w górach w pobliżu Santa Barbara. Telefon dzwonił, ale nie odebrała ani razu. Potem odsłuchała dziesiątki wiadomości od innych nauczycieli, od kilku osób z klasy Brady'ego, nawet długą i pełną szlochów wiadomość od Glynnis Gilmore. Dziewczyna wyznała, że zakochała się w Bradym w dniu premiery.

Teraz głupie wspomnienie związane ze śmiercią matki odblokowało ją. A korepetytor francuskiego przygalopował na białym koniu.

Wychodzą z muzeum w pośpiechu, jakby ścigani przez wygłodniałe oczy Marilyn. Chłopak przy biurku nawet na nich nie patrzy.

– Znam pewną restaurację – mówi Nico i bierze ją za ramię, prowadząc szybko po śliskich ulicach. Słońce odbija się w kałużach i mokrych samochodach; Josie szuka w torebce okularów przeciwsłonecznych. Jest zdezorientowana, jej myśli zawędrowały do zbyt wielu mrocznych zakamarków: matka, Simon, Marilyn. Musi wypłynąć i zaczerpnąć powietrza; płuca już nie wytrzymują.

– *Voilà* – oznajmia Nico, jakby stworzył tę restauracyjkę na rogu, jakby to on wymyślił jej czarujące żółte ściany, bladoniebieskie obrusy, mnóstwo kwiatów. Przeniósł ich do Prowansji i Josie bierze głęboki oddech.

– Podoba ci się? – pyta z dumą.

– Bardzo.

– Tak myślałem.

Siadają w kącie na końcu małej sali i Nico zamawia dzbanek różowego wina.

Gdy rozmawia z kelnerką, Josie wraca mroczną ścieżką wspomnień do dnia pogrzebu. Nawet ta radosna restauracja nie jest w stanie jej przed tym powstrzymać.

Przypomina sobie ponownie żonę Simona stojącą przed kościołem. Kobieta odeszła od swoich sióstr, matki oraz przyjaciół i stanęła przed dwiema trumnami. Nikt nie śmiał do niej dołączyć. To była jej żałoba, jej druzgocąca strata. Osunęła się na kolana i zawyła, a jej płacz rozniósł się echem po kościele. Josie odwróciła się i poszła do samochodu zaparkowanego ponad kilometr dalej, taki był tłum. Podczas tego długiego spaceru zaciskała dłonie, aż paznokcie wbiły się jej w skórę i zaczęła krwawić. Straciła Simona, a teraz straciła prawo do swojej żałoby.

„Kochaj mnie". Josie nigdy nie zdawała sobie sprawy, że w jej życiu brakuje takiej namiętności, która by ją wytrąciła z równowagi, która by ją poniosła. Zawsze uważała się za nieco zbyt kapryśną w sprawach serco-wych. Przy Simonie pogubiła się, poddała miłości. A ta ją wypełniła, uczyniła pełniejszą i bogatszą.

– Mój chłopak nie żyje – mówi głośno.

Nico patrzy na nią zaskoczony. Przychodzi kelnerka z karafką wina, a oni milczą, gdy napełnia ich kieliszki. Kobieta kładzie karty dań na stole i odchodzi.

– Skłamałam – mówi Josie. – Nie jestem tu z przy-jaciółką. Jestem sama. Miałam przyjechać do Paryża z nim. Z Simonem.

– Co się stało? – pyta cicho Nico.

– Trzy tygodnie temu zabrał swojego syna, Brady'ego, do Santa Barbara, żeby przyjrzał się tamtejszemu uni-wersytetowi. Simon miał samolot – był dobrym pilo-tem, latał nim od lat. Nie wiadomo, co się stało. Samo-lot rozbił się na wzgórzach przed Santa Barbara. Obaj zginęli.

– Mój Boże.

– Nie mogłam z nikim o tym rozmawiać. Najpierw on był moją tajemnicą. Teraz żałoba jest moją tajemni-cą. Byłam jego kochanką, nie jego żoną.

– To jego dziecko.

– Tak. Nic nie wiedziałam. Ale jestem pewna, że je-stem w ciąży.

Nico sięga przez stół i kładzie dłoń na dłoni Josie. Po jej twarzy znowu spływają łzy.

– Ma uroczą żonę. Straciła wszystko. Ja straciłam kochanka. Nie mam prawa do bólu. On nie był mój. Brady nie był mój. Kradłam cudzą miłość.

– Nie sądzę, żebyś kradła miłość.

– Jego miłość należała się jego żonie. Jego żonie należy się żałoba. Ja jestem nikim. Poszłam na pogrzeb, ponieważ uczyłam Brady'ego. Ale to wymówka, kłamstwo. Nikt o mnie nie wie. A gdyby wiedzieli, toby mnie znienawidzili.

– To nie ma znaczenia, co inni wiedzą. Albo co sobie myślą.

– Jesteś obcy. Jesteś Francuzem. Co ty tam wiesz.

Nico śmieje się i nagle Josie też się śmieje, zaskoczona swoim zachowaniem. Pije wino, które jest lekkie i chłodne niczym bryza.

– Jedźmy do Prowansji – mówi.

– Na lekcję francuskiego? – Nico uśmiecha się.

– Tak. Ucieknij ze mną.

– *Avec plaisir*, Z przyjemnością – mówi Nico, a nad nimi staje kelnerka z notatnikiem.

Nico zamawia dla nich obojga, choć zerka na Josie, żeby sprawdzić, czy się zgadza. Ona kiwa potakująco głową.

– Dziś? – pyta Nico, gdy kelnerka odchodzi. – Następnym pociągiem?

– Czemu nie.

Stukają się kieliszkami.

– Może nie powinnam pić. Dziecko.

– We Francji mówi się, że kieliszek wina lub dwa są dobre dla dziecka.

– *Bien sûr* – mówi Josie i pije.

Kręci się jej w głowie, jakby wino już ją oszołomiło. Może to te słowa rozbrzmiewające echem w jej głowie: „Mój chłopak nie żyje". W końcu je wypowiedziała.

– Nie ma żadnej przyjaciółki chodzącej dziś po galeriach sztuki?

– Whitney nie aprobuje romansów i nie znosi sztuki współczesnej. Jest w domu, w San Francisco, uważając, że dostałam to, na co zasłużyłam.

– Niech tam siedzi. Dobrze, że nie musimy zabierać jej do Prowansji.

– I nie ma nikogo, kto będzie wieczorem na ciebie czekał z kolacją? – pyta Josie. Flirtują – to gra, tratwa ratunkowa, sposób ucieczki od popapranego życia. Znowu mówi, płacze, nawet się śmieje. Co w tym złego? Upija łyk wina i nachyla się blisko.

– Czasami spotykam się z dwójką innych korepetytorów w Marais. Narzekamy na naszych uczniów i za dużo pijemy. Czasami wracamy do domów i uprawiamy ze sobą seks.

– W trójkę? – Josie otwiera szeroko usta.

– Nie. Nie interesuje mnie ten drugi. Kocham jego dziewczynę.

– Mój Boże – wzdycha Josie. – Jesteśmy popaprani. Wszyscy. Dlaczego miłość jest tak skomplikowana?

– Dziś nie jest skomplikowana. – Nico podnosi kieliszek. – To pierwszy dzień od niepamiętnych czasów, kiedy się dobrze bawię.

Stukają się znowu kieliszkami. Kelnerka przychodzi i stawia przed nimi miski z mulami i wysokie szklanki pełne frytek. Stolik nagle zapełnia się cudownie pachnącym jedzeniem.

– Wydaje mi się, że nie jadłam od niepamiętnych czasów – mówi Josie.

* * *

Gdy Josie po raz pierwszy spotkała się z Simonem sam na sam, dzień po próbie Brady'ego, usiedli w restauracji w miasteczku położonym daleko od ich miejsc zamieszkania i zamówili drinki – martini dla Simona, białe wino dla Josie – oraz kolację – stek dla niego, łososia pieczonego na grillu dla niej. Potrawy stały przed nimi nietknięte, podczas gdy oni rozmawiali, nachyleni ku sobie. Simon zadawał pytania: kim jesteś, skąd pochodzisz, dlaczego uczysz – jakby karmił się nią zamiast jedzeniem. A Josie mówiła, jakby dotąd milczała, jakby nigdy nie opowiadała o sobie. Gdy powiedziała o śmierci swojej matki, nie przeszedł do następnego tematu, jak robili to jej dotychczasowi partnerzy – spytał o ostatni tydzień matki, o smutek ojca, o należącą do jej matki złotą kość widełkową, którą nosiła na szyi. Kelner podszedł z pytaniem, czy wszystko w porządku z zamówionymi przez nich potrawami.

– Tak, tak – odpowiedzieli oboje. – W porządku. Są cudowne.

I mimo to nadal ledwie tknęli jedzenie.

– Co robisz w idealny dzień? – spytał Simon.

– Wędruję po wzgórzach. Pakuję lunch i książkę i piknikuję gdzieś nad rzeką.

– Zabierz mnie.

Powiedział jej o lataniu, o tym nadzwyczajnym doświadczeniu przestrzeni, lekkości i prędkości, jak czuje się jednocześnie brawurowo i bezpiecznie – jakby mógł polecieć wszędzie, zrobić wszystko, a jednak być panem swojego wszechświata, mieć pełną kontrolę.

– Zabierz mnie – powiedziała.

Ale jedynym miejscem, które dzielili, było łóżko: jej łóżko, łóżka hotelowe, łóżka w motelach, materac, który zaniósł na środek pola na wzgórzach West Marin. Tej pierwszej nocy zostawili jedzenie w restauracji oraz o wiele za duży napiwek i długo jechali samochodem. Trafili na domek – jedną z chat z bali do wynajęcia nad brzegiem jeziora. Josie została w samochodzie, podczas gdy Simon poszedł do biura, ale widziała przyglądającą się jej przez okno kobietę. Josie odwróciła wzrok, manipulowała gałką radia, martwiła się, że jej ciało nigdy nie przestanie się trząść od bezmiaru pożądania.

Simon wrócił do samochodu.

– Spytała mnie, czy podróżuję z córką.

– Co odpowiedziałeś?

– Że nie. Nie chcę zostać aresztowany za to, co będę dziś z tobą robił.

– Ona się nie dowie.

– Dowie. Cały świat się dowie.

Josie nigdy nie była głośna w łóżku. Raz ugryzła w szyję swojego chłopaka w college'u. Lepiej tak niż krzyczeć. Lubiła seks – to był rodzaj gry, aktywności fizycznej, w której była dobra. Ale nie wiedziała, jak to jest oddać się komuś, zapamiętać się, otworzyć na kogoś.

Tej nocy była tak głośna, że kobieta spytała rano Simona:

– Czy wszystko było u pana w porządku?

– Jak najbardziej – odparł. – Było idealnie.

– Skąd wiedziałeś? – spytała Simona parę tygodni później. – O tym pierwszym razie. Skąd wiedziałeś, co się stanie, gdy kochaliśmy się tamtej nocy?

– Nie mogłem opanować drżenia – powiedział. – Przez całą kolację. I kiedy jechaliśmy do domku. Moje ciało było naelektryzowane. Nigdy nie czułem czegoś podobnego.

– Nigdy wcześniej ci się to nie zdarzyło?

– Ty mi się nigdy wcześniej nie zdarzyłaś.

Josie i Nico zajadają się mulami i frytkami. Oblizują palce, wyrzucają muszle do miski, zbierają sos grubymi kawałkami chleba. Gdy kończą, kelnerka przynosi cierpką sałatę i talerz serów, i jeszcze więcej chleba, tym razem pełnego orzechów włoskich i żurawiny.

Nico opowiada Josie o swoim dzieciństwie w Normandii, na małej farmie, o tym, jak raz upił się calvadosem i spał w piwniczce ziemnej aż do rana. Gdy się obudził, zobaczył, że wszędzie jest policja, która przeczesuje tereny wokół domu, rozmawia z sąsiadami, prowadzi psy do okolicznych lasów.

Ukrywał się przez cały dzień, a nocą poszedł do lasu. Parę minut później ruszył do domu, a jego rodzice podbiegli do niego i obejmując, pytali:

– Gdzie byłeś? Co się stało? Ktoś cię zabrał?

– Nie wiem.

Uznali, że wymazał z pamięci jakieś straszne wydarzenie i potem przez całe lata rodzice, przyjaciele, sąsiedzi, wszyscy traktowali go tak, jakby nosił w sobie jakąś mroczną tajemnicę. A jego tajemnicą był wstyd, że zasnął w ciemnym kącie i wywołał tyle zamieszania bez powodu.

– Powiedziałeś im o tym w końcu? – pyta Josie. – Chyba woleliby teraz wiedzieć, że nie stało ci się nic złego.

Nico kręci przecząco głową.

– Napisałem serię wierszy o tamtej nocy. Kiedyś je w końcu przeczytają. Ale nawet wówczas nie poznają prawdziwej historii. Nie mogę cofnąć kłamstwa.

Jedzą trzy rodzaje serów – półpłynny, ostry w smaku camembert, leżakowany chèvre, który ma ziemny posmak, i roquefort przypominający Josie jej ojca, człowieka, który nie lubi przypraw i posypuje sałatki kruszonym niebieskim serem.

– Nasi rodzice nas nie znają – mówi Josie. – Nie mogą nas poznać. Chowamy się przed nimi. Kiedyś wiedzieli o nas wszystko, więc żeby od nich uciec, mamy swoje tajemnice, ukrywamy swoją prywatność.

– Uciekłaś od swoich rodziców?

– Musiałam. Rozpaczliwie tego potrzebowałam. Chcieli, żebym poszła do college'u stanowego w San Jose i mieszkała z nimi. Ale ja pragnęłam uciec na drugi kontynent. Uważałam ich za staromodnych, niewykształconych i – *quelle horreur!* – chciałam być

Francuzką! Chciałam być wyrafinowana! Poszłam na Uniwersytet Nowojorski, a rok później moja matka zachorowała. Powinnam była zostać bliżej domu. Powinnam była zajmować się nią przez ten rok. Mój ojciec mnie potrzebował.

– Nie mogłaś jej uratować.

– Nie, ale mogłam uratować mojego ojca.

– Wątpię w to, Josie. Mogłaś mu trochę ulżyć, ale nic byś nie zmieniła, jeśli chodzi o jego stratę.

Josie popatrzyła na niego zaskoczona.

– Skąd wiesz?

– Słucham cię. Wyobrażam sobie twoje życie.

– Ale to coś więcej. Skąd wiesz o żałobie?

– Nie wiem – mówi Nico. – Moi rodzice żyją. Nigdy nie straciłem nikogo, kogo kochałem. Po prostu myślę, że wiem, co czujesz.

– To dlatego, że jesteśmy sobie obcy? Mogę ci opowiedzieć o Simonie, a ty możesz mi powiedzieć o nocy w piwniczce. Rozjedziemy się. To nic nie znaczy. To jak rozmowa z obcym człowiekiem w samolocie.

– Nie. Jestem tu. Słucham wszystkiego, co mówisz.

Josie rozgląda się po restauracji. Na długi czas wrzawa rozmów innych ludzi przycichła, razem z brzękiem sztućców i cichym brzmieniem koncertu skrzypcowego. Zgubiła świat i znalazła Nico, nie kochanka, nawet nie chłopaka na noc lub dwie, ale kogoś, z kim mogła porozmawiać.

– Dziękuję ci.

– Nie myśl sobie, że robię tak ze wszystkimi moimi uczniami – uśmiecha się Nico.

– Nawet nie poprawiasz mojego francuskiego.

– Twój francuski jest idealny.

– Teraz kłamiesz. Dziś mówmy już tylko prawdę.

– Powinnaś zatem popracować nad samogłoskami. Czasem robisz z nich dwugłoski.

– Naprawdę?

– Nie okłamałbym cię.

– Przez te wszystkie lata mówiłam po francusku błędnie?

– Nikt ci tego nigdy nie powiedział.

Josie spuszcza wzrok, nagle zawstydzona. On jest zadurzony, a ona go zostawi. Dopiero co obiecała, że nie będzie kłamać. A jednak kłamstwo jest we wszystkim, co dziś wspólnie robią. Ponieważ nie pojedzie z nim do Prowansji. To jakaś inna Josie wsiądzie w następny pociąg i zwinie się na kuszetce z tym błękitnookim Francuzem. Ta Josie – która straciła Simona i zwolniła się z pracy, okłamała ojca, poleciała sama do Francji – nie jest zdolna do niczego więcej niż dzień z nauczycielem francuskiego.

Ale w końcu zjadła posiłek i zdobyła się na rozmowę.

– Nie zażądam zwrotu pieniędzy od szkoły – mówi do Nico. – Czegoś mnie jednak nauczyłeś.

– Jeszcze nie skończyliśmy.

* * *

Simon zadzwonił do niej, kiedy była w szkole, choć powiedziała mu, żeby tego nie robił. Trudno jej się było skupić na pracy.

– Nie mogę rozmawiać – wyszeptała do komórki. – Za dwie minuty zaczynam zajęcia.

– Spotkajmy się nad jeziorem. O czwartej.

– Nie mogę. Mam konsultacje.

– Odwołaj je. – I rozłączył się, tak był pewien, że zaryzykuje pracę, by się z nim spotkać. Odwołała spotkanie. Odwołała już tyle spotkań, zrezygnowała z treningów piłkarskich, choć miała być asystentką trenera, i powiedziała starszej grupie teatralnej, że mają sami przygotować swoje jednoaktówki, a ona będzie je nadzorowała w ostatnim tygodniu. Po trzech latach bycia przykładną nauczycielką stała się nagle leserem. Powtarzała sobie, że to nadrobi – romans nie może trwać wiecznie – a poza tym potrzebuje Simona bardziej niż tej pracy.

Spotkali się nad jeziorem, gdzie zaczęli swój romans, godzinę jazdy samochodem od szkoły. Wracali tam kilkakrotnie i Simon zawsze prosił o ten sam domek. Było zimno jak na tę porę roku i nikt nie wynajmował tych ruder, więc wstrętna kobieta, która prowadziła to miejsce, powinna być zadowolona, że zarabia. Zamiast tego za każdym razem zadawała Simonowi to samo pytanie: Czy to pańska córka?

Josie nigdy nie wchodziła do biura, nie stanęła z tą kobietą twarzą w twarz, ale zawsze czuła jej wzrok na plecach, gdy chwilę później śpieszyli do domku.

– Któregoś dnia zabiorę cię do fryzjera, żeby cię ostrzyżono jak dorosłą – powiedział Simon. – Kupię ci buty na wysokich obcasach – wyrzucimy te czerwone głupstwa do jeziora – oraz kaszmirowy sweter i wełniane spodnie.

– A wtedy przestaniesz się mną interesować – powiedziała Josie. – Będę wyglądała jak wszystkie inne kobiety, które znasz. Jak twoja żona i jej znajome. Jak twoje koleżanki z pracy.

– Moja żona…

– Przepraszam. – Niewypowiedziana zasada. Teren zakazany. Trzymać ją z dala od sypialni, domku, pokoju w motelu, od materaca na środku pola.

– Chodź tu – powiedział Simon, a ona wsunęła się w jego ramiona, uciszając ich oboje.

Josie zaczęła ciągnąć go w stronę łóżka, ale on się opierał, uśmiechając się do niej psotnie.

– Nie idziemy do łóżka – powiedział. – Jeszcze.

– Nie mogę się doczekać. Już wtuliłam twarz w twoją szyję.

Uwielbiała ten jego mydlano-piżmowy zapach. Powiedziała mu, że gdyby mogła go wdychać każdego dnia, to nie potrzebowałaby już jedzenia.

– Chudniesz – opowiedział.

– Więc pozwól mi wdychać więcej ciebie.

– Musisz poczekać. Wynająłem łódź.

– Jest przeraźliwie zimno!

– Mam koce. Zabrałem termos z grzanym rumem.

– Już to kiedyś robiłeś.

– Przestań.

To było drugie tabu, kolejne zamknięte drzwi. Nie wierzyła, że jest jego pierwszą kochanką. Był w tym zbyt dobry. Wiedział, jak to jest mieć romans, a ona była nowicjuszką, dzieckiem w świecie dorosłych.

– Nigdy nie kochałem tak jak teraz – upierał się.

– Jak kochałeś? Opowiedz mi.

– Nie. Przestań. Uwierz mi.

Nigdy mu nie wierzyła.

Wziął ją za rękę i wyprowadził z domku. Wyjął worek żeglarski z bagażnika samochodu i zarzucił go na ramię. Podeszli do jeziora. Spowijała je chłodna, wilgotna mgła, od której zrobiło się jej zimno mimo puchowej kurtki. Niebo było jasnoszare, a jezioro kolorem przypominało żelazo. Na falach na końcu przystani kołysała się łódź, zaskakująca czerwienią kandyzowanego jabłka na tle innych przygaszonych barw.

– Wiosła są w łodzi! – zawołał ktoś i oboje odwrócili się w stronę biura. Starsza kobieta stała z rękoma założonymi na dużym biuście i patrzyła na nich spod przymrużonych powiek.

– Dziękuję! – odkrzyknął Simon.

Kobieta wpatrywała się w Josie. Jej spojrzenie było pełne nienawiści, jakby Josie ukradła wszystkich dobrych facetów wszystkim starszym kobietom na świecie.

– Boję się jej – wyszeptała Josie.

– Nie zwracaj na nią uwagi.

– Nie potrafię. Czuję na sobie jej wzrok.

Ale drzwi już się zatrzasnęły i stara jędza zniknęła.

Simon przytrzymał łódź, a Josie wsiadła do środka. Położył worek żeglarski na dnie. Potem zajął miejsce naprzeciwko niej i chwycił za wiosła.

– Weź koce. Ogrzej się, a ja powiosłuję.

Wyciągnęła z worka indiański pled w tradycyjne pasy, parę futrzanych czapek i termos. Założyła Simonowi czapkę i nachyliła się, żeby go pocałować.

– Włóż swoją – powiedział.

Naciągnęła czapkę na uszy i od razu zrobiło jej się cieplej. Upiła łyk z termosu i słodki gęsty płyn rozlał się po całym ciele.

Podała termos Simonowi, który napił się, uśmiechnął i wrócił do wiosłowania. Po kilku chwilach świat wokół nich zniknął i pochłonęła ich mgła. Otaczające barwy zmieszały się w jedną – niebo, mgła, woda – i został tylko czerwony brzeg łodzi, otaczając ich, zamykając w sobie.

Simon odłożył wiosła. Z początku łódź płynęła, kołysząc się lekko, a potem zwolniła i wreszcie znieruchomiała. Milczeli i jedynym dźwiękiem było krakanie wron dobiegające gdzieś z oddali.

– Chcę się tu z tobą kochać – powiedział Simon, cicho i miękko.

– Jest tak zimno.

– Schowamy się w kocach.

– Przewrócimy się, utoniemy i nikt nas nigdy nie znajdzie.

– Więc lepiej, żebyśmy się nie rzucali.

– Niemożliwe.

– Postaramy się.

Wypili jeszcze trochę gorącego rumu i otulili się kocami na dnie łodzi. Wysunęli się z ubrań, a łódź zakołysała się niebezpiecznie. Lodowata woda chlapnęła o jej bok. Zachichotali, znowu sięgnęli po rum i przytulili się nagimi i naelektryzowanymi ciałami. Josie było jednocześnie zimno i ciepło, była wystraszona i podekscytowana, przepełniała ją energia i panicznie bała się ruszyć. Gdy Simon przesunął dłonią po jej udzie, biodrze, brzuchu, odczuła to intensywniej niż dotychczas – jak gdyby końce jej nerwów były poszarpane i obnażone. Jego oddech na jej szyi, jego usta na jej piersi, jego dłoń pomiędzy jej nogami i konieczność zachowania bezruchu, pohamowania się, jakby każde najmniejsze drgnięcie mogło spowodować upadek w czarną toń, sprawiły, że czuła się tak, jakby została złapana w wirującą wokół niej białą mgłę.

Gdy wsunął się w nią, nie poruszali się i czuła jego głęboki oddech; widziała jego twarz nad swoją, jego oczy wpatrzone w jej.

– Nie ruszaj się – uśmiechnął się.

Jej ciało eksplodowało w środku, jak gdyby konieczność opanowania się wyzwoliła coś głębszego, sejsmicznego. Potem on szczytował; łódź kołysała się, a ich otulały i woda, i mgła, i niebo.

Rozluźnił się – poczuła jego ciężar i ciepło.

Nagle dotarła do niej kakofonia dźwięków, jakby ptaki ich odkryły na środku jeziora. Krakanie, skrzeczenie i trele były ogłuszające, a choć podnieśli głowy ku niebu, nic nie widzieli.

– To my tak hałasujemy – powiedział Simon. – Echa orgazmów.

– Tak to właśnie brzmi we mnie.

– Oczywiście, tylko nie wiedziałem, że inni też to słyszą.

Później, już w domku, gdy wzięli długą gorącą kąpiel i opróżnili termos z napojem rumowym, Simon powiedział:

– Kocham cię.

A Josie odpowiedziała:

– Nie zostawiaj mnie.

* * *

Nico patrzy na niebo. Ciągle widać chmury, a gdzieś w oddali słychać pomruk grzmotu.

– Jesteśmy bezpieczni, ale na krótko. Spróbujemy przejść na piechotę na dworzec?

– Możemy na piechotę dojść do Prowansji – stwierdza Josie.

– Nigdy nie należałem do cierpliwych. Wolę szybkie pociągi.

– No to przejdźmy się na dworzec.

Nie wie, czy on mówi to poważnie. Nie zna go. Ostatnio nie zna siebie ani nie rozumie, jak działa świat. Więc dlaczego nie miałaby przejść się na dworzec?

– Co z moimi butami? – Jej czerwone trampki są mokre od deszczu, a stopy wilgotne i zmarznięte.

– Kupimy je w Prowansji. Mamy dziś mnóstwo rzeczy na liście. Poprawić twoje samogłoski. Razem uciec.

– Nawet nie wiem, czy mówisz po angielsku.

– Czy to ma znaczenie?

– Ani trochę. Wiesz co, nie mów mi. Pomiędzy nami musi być jakaś tajemnica.

– Masz tajemnicę?

– Wyjawiłam ci już wszystkie.

– Powiedz mi o książce, którą czytałaś, gdy byłaś młoda. O tej, która sprawiła, że chciałaś przyjechać do Paryża.

– Możemy usiąść? Mój brzuch…

– Będziesz wymiotować?

– Nie wiem. Odwykłam od jedzenia.

Nico prowadzi ją na drugą stronę ulicy i do budynku – jest zdezorientowana – czy on szuka łazienki? To Muzeum Rodina, ale ona nie chce teraz zwiedzać. Nico kupuje bilety do ogrodów – jedno euro każdy – i prowadzi ją znowu na zewnątrz, do ślicznego miejsca. To rozległa przestrzeń bujnych zielonych trawników i szeroka sadzawka na dalekim końcu. Jest olśniona – w samym środku Paryża zostali przeniesieni do edenu.

Nico idzie z nią wolno po długim trawniku, aż znajdują dwa leżaki nad brzegiem wody. Josie siada i wzdycha, jej żołądek się burzy.

– Przynieść ci coś do picia?

Josie zerka w prawo – w ogrodzie jest kawiarnia.

– Nie. Posiedź ze mną chwilę.

Nico siada obok niej.

– Być może dziecko jednak nie lubi wina.

– Niemożliwe.

Josie zerka na niego; wygląda na zmartwionego.

– Nic mi nie jest – zapewnia go. – Jestem trochę zmęczona. Moje ciało odzwyczaiło się od jedzenia.

– Nie śpiesz się. To dobre miejsce na odpoczynek.

Patrzą na park. Tłumek zbiera się wokół rzeźby – Josie dostrzega głowę *Myśliciela* górującego nad zwykłymi śmiertelnikami. Inne rzeźby rozsiane są po całym ogrodzie, ale ona nie zwraca na nie uwagi – zachwyca się zieloną wodą sadzawki, trawnikiem, mnóstwem zielonych liści na drzewach. Powiew wiatru porusza powietrze wokół niej i przynosi zapach świeżo przystrzyżonej trawy. Czuje się jak otulona zielonym kocem.

– Czytałam tę książkę tyle razy, że prawdopodobnie nadal jestem w stanie wyrecytować pierwszy akapit. Ale oszczędzę ci tego. To krótka i dziwna historyjka. Młoda dziewczyna gubi rodziców na Champ de Mars. Wszędzie ich szuka – aż w końcu uznaje, że pojechali na szczyt wieży Eiffla bez niej. A ona boi się wysokości. Nie może iść za nimi. Więc czeka i czeka. W końcu robi się ciemno, a rodzice się nie pojawiają. Jest przerażona, zaczyna wchodzić po schodach na wieżę.

– Dlaczego nie pojedzie windą?

– Tam są tylko schody. To wymyślona historia.

– Oczywiście.

– Wchodzi i wchodzi, a im jest wyżej, tym bardziej się boi. Ale nie może wrócić. Musi zdecydować, co jest bardziej przerażające – życie bez rodziców czy wchodzenie na szczyt wieży. Nie przestaje się wspinać. Niebo ciemnieje, zapada noc, wkrótce zapalają się światła miasta; pod nią jest tyle samo gwiazd co nad nią. Nigdy w życiu nie widziała czegoś tak pięknego.

Zapomina, że się boi, i wbiega na najwyższe piętro wieży. Obchodzi taras widokowy, patrząc w górę na niebo i w dół na ulice miasta z iskrzącymi się światłami. Nie czuje strachu – jest na szczycie świata.

Josie przerywa i oddycha głęboko. Jej żołądek kurczy się i rozluźnia.

– Dobrze się czujesz?

– W porządku.

– A ta dziewczyna na szczycie wieży Eiffla?

– Podchodzi do niej strażnik. „*Mademoiselle*", mówi. Uwielbiałam to słowo, gdy byłam mała. To było moje pierwsze francuskie słowo. – *Mademoiselle*. „*Oui, Monsieur*", odpowiada. To bardzo dobrze wychowana dziewczynka.

– To Amerykanka?

– Och nie. To prawdziwa Francuzka. Mieszka na skraju Champ de Mars i jeszcze nigdy nie była na wieży Eiffla. A teraz jest. I widzi pod sobą całe swoje miasto.

– I rodziców?

– Rzeczywiście jesteś niecierpliwy – beszta go Josie. – Więc strażnik mówi, że zaraz zamkną wieżę i będzie musiała zejść na dół. Ona mu na to, że zgubiła rodziców. Zapewnia ją, że będą czekali na nią na dole. Więc schodzi i schodzi, przeszczęśliwa, bo już się niczego nie boi. Wychodzi z wieży i patrzy na Paryż, ale wszystko, co dotąd znała, jest inne jak za dotknięciem czarodziejskiej różdżki. Nie widzi nigdzie rodziców, więc podskakując, biegnie do domu i wyobraża sobie życie bez nich. Może już nigdy nie będzie chodziła do szkoły! Może pocałuje chłopaka, który się jej podoba! Może będzie nosiła fioletowe rajstopy, których jej matka nie znosi! Gdy dociera do domu, patrzy w okno salonu i widzi rodziców stojących pod mocno świecącym żyrandolem i wyglądających na zewnątrz. Nie widzą jej. Spogląda na wieżę Eiffla. Konstrukcja skrzy się od światła. Wręcz fosforyzuje. Gdy patrzy znowu na dom, jest w nim ciemno.

Josie uśmiecha się i kładzie sobie dłonie na brzuchu.

– To koniec? – pyta Nico.

– Koniec. *La fin* z wielkimi zakrętasami.

– To francuska książka?

– Oczywiście. Gdyby była angielska, nikt by tej dziewczynce nie pozwolił wejść samej na górę, strażnik zabrałby ją na posterunek policji, a nawet gdyby mu uciekła, dotarła do domu i zobaczyła rodziców w oknie, pobiegłaby do nich i obiecała, że już nigdy się nie zgubi.

– Myślisz, że tak się stało? Nie wróciła do domu?

– Nie wiadomo. Może wróciła, może nie.

– Moim zdaniem to przerażająca historia.

– No widzisz. *Vive la différence*, Niech żyje różnica.

– Pomiędzy chłopcami i dziewczynami?

– Pomiędzy miłym młodym Francuzem z niebieskimi oczyma a zwariowaną Amerykanką.

Nico wyciąga rękę i odgarnia jej kosmyk włosów za ucho.

– Nie jesteś zwariowana.

– A to kolejna rzecz. Powinnam się ostrzyc.

– Możemy to wpisać na listę. – Jego palce zatrzymują się na chwilę w jej włosach.

– Wszystko jednego dnia?

– A ty sądziłaś, że jestem zwykłym korepetytorem.

Josie widzi figlarny uśmiech w oczach Nico i zauważa, jak młodo wygląda. Nie ma zmarszczek w kącikach oczu. Spędziła tyle miesięcy, wpatrując się w oczy Simona.

– Zmyśliłam tę historię. Nie ma żadnej książki. Nigdy nie było.

Nico uśmiecha się.

– Może nie jesteś zwariowana, ale wyobraźni ci nie brakuje.

– Myślę, że ta dziewczynka nigdy nie wróciła do domu. Pewnie znalazła strażnika i poprosiła go, żeby zabrał ją do siebie.

– To może być niebezpieczne.

– Ale to bardzo miły człowiek. Ma trzy psy, każdy większy od dziewczynki. Mieszkają w jego malutkim mieszkanku na szczycie Montmartre'u.

– A co z jej rodzicami?

– Jesteś taki odpowiedzialny – skarży się Josie.

– Ja bym tęsknił za swoją małą córeczką.

– Oczywiście, że byś tęsknił. – Przypomina sobie, że Nico ma gdzieś w Maroku dziecko, którego nigdy nie widział. Myśli o Nico jako o dziecku zagubionym w piwniczce i o szukających go rodzicach. Ten człowiek czeka, aż zostanie znaleziony.

* * *

Simon głaskał ją po plecach. Leżeli na łóżku – czas spędzany wspólnie wykorzystywali na seks. Znowu przyjechali do San Francisco, ale tym razem zatrzymali się w innym hotelu – Simon dostrzegł w Clifcie kogoś znajomego i Josie musiała udawać, że jest obcą osobą, która pyta go, jak dojść do klubu.

– Przepraszam – odpowiedział, gdy znajomy był w zasięgu słuchu. – Nie potrafię nic pani powiedzieć o klubach w tym mieście. Jestem już stary. Proszę może spytać konsjerża.

Potem Simon zdradził jej, że spodobała się jego znajomemu.

– Niezła dziewczyna.

A Simon odpowiedział:

– Nie zauważyłem.

– Oczywiście, że nie – odparł na to znajomy. – Jesteś jak ostatni Mohikanin małżeństwa.

Simon uprzedził żonę o serii sobotnich spotkań – wymyślił stowarzyszenie dobroczynne, które potrzebowało jego pomocy. Powiedział swojemu asystentowi, żeby z nikim go nie umawiał w piątkowe popołudnie, ponieważ musi wrócić do San Rafael i popracować nad projektem, którym zajmował się wraz z Bradym. Okłamywał wszystkich, a łatwość, z jaką to robił, podsunęła Josie myśl, że ją również musi okłamywać.

– Skąd wiesz, że to miłość – spytała – a nie miłość do seksu?

Przesunął językiem po jej kręgosłupie.

81

Przewróciła się na plecy i spojrzała mu w twarz.

– Powiedziałeś, że mnie kochasz.

– Kocham.

– Może tylko kochasz się ze mną kochać.

– Kocham.

– Dlaczego teraz, kiedy mam miłość, natychmiast ogarnia mnie lęk, że ją stracę?

– Za dużo myślisz.

– Kiedy się kochamy, nie myślę.

– To kochajmy się. Już za długo tego nie robiliśmy.

– Czy seks ma większe znaczenie niż cokolwiek innego? Czy ma większe znaczenie niż wychowywanie dzieci, chodzenie na przyjęcia i jeżdżenie do Cabo na wakacje?

– Żałuję, że nie mogę tego wszystkiego robić z tobą.

– Ale możesz.

– Nawet byś tego nie chciała, Josie. Masz dwadzieścia siedem lat.

– Nie wiem.

– Proszę. Chodź tu.

– Jestem tu.

– Chodź bliżej.

– Miałeś tak samo z żoną?

– Przestań.

– Mnie się to nigdy nie zdarzyło.

– Wiem, Josie. Mnie również.

– Ale ufasz temu uczuciu? Potrafisz je schować w sobie i zabrać do domu?

– Musimy tak postępować. Nie ma innego wyjścia.

– Kochajmy się naprawdę powoli. Kochajmy się tak, żeby trwało to godzinami.

– Całymi dniami. Niech trwa cały czas, gdy nie jestem z tobą.

Josie wtuliła się w jego ramiona.

– Fryzjer – mówi Josie, podnosząc się z leżaka. – Obciąć jej włosy!

– Lepiej się czujesz? – Nico patrzy na nią podejrzliwie.

– Tak. – Przeciąga się, wyginając do tyłu. Czuje słońce na twarzy. – Dokąd pójdziemy?

Nico wstaje i prowadzi ją do wyjścia z Muzeum Rodina.

– Na rue Saint-Dominique jest mnóstwo sklepów. Coś znajdziemy.

– Na pewno tego chcesz?

– Oczywiście.

– Czy twoja szkoła językowa jakoś reguluje te sprawy?

– Co masz na myśli?

– Jak ma wyglądać dzień z klientem? Czy moje życzenie jest dla ciebie rozkazem?

– Zazwyczaj to nie jest tak skomplikowane. Większość uczniów jest zadowolona, jeśli nauczy się nazw warzyw na rynku.

– Zakochałeś się kiedyś w uczennicy?

Nico uśmiecha się.

– Nie licząc dzisiaj?

– Nie jesteś zakochany. Ale cudowny z ciebie flirciarz. Możesz to sobie wpisać do CV.

– Dlaczego nie mogłaby to być miłość?

– A co z twoją korepetytorką? Nie jesteś w niej zakochany?

– Ona ma Philippe'a. Byłem tylko odskocznią.

– Ale ją kochasz. Mógłbyś ją kochać.

– Mógłbym kochać ciebie.

– Nie. To tylko głupie pytanie. Wypiłam za dużo wina. Znajdźmy fryzjera. Nie mogę jechać do Prowansji, wyglądając jak nastolatka.

Josie ma długie i proste włosy. W torebce nosi spinkę i kiedy robi się ciepło, zawija włosy i przypina je na czubku głowy. Gdy je rozpuszcza, opadają do połowy pleców gęstą falą barwy kasztanów, która kołysze się, gdy Josie idzie. Nigdy nie obcinała więcej niż kilka centymetrów.

Idą przez Esplanade des Invalides, a Nico wyciąga dłoń i przesuwa palcami po jej włosach. Josie patrzy na niego zaskoczona. To najintymniejszy gest od tygodni. Wpierw ją to porusza, a potem budzi gniew. Nie chce pamiętać.

– Tylko przeszkadzają. – Odrzuca do tyłu włosy i odsuwa się od jego ręki. – Mam ich już dość.

– Szkoda.

– *Voilà!* – woła Josie, gdy skręcają w rue Saint-Dominique. Pokazuje na drugą stronę ulicy. – Idealnie. – To mały salon, a reklama w oknie brzmi obiecująco: *shampooing et coupe* za dwadzieścia pięć euro. – *On y va*, Idziemy. Teraz Josie przejęła dowodzenie – Nico idzie pół kroku za nią. Josie pcha drzwi do salonu – gdzie pełno jaskrawych świateł, lśniących srebrzystych powierzchni i łomotu techno – i wita się z młodą kobietą przy kontuarze. Jej włosy to pistacjowe kolce. Może to nie jest miejsce, w którym strzygą dorosłych.

– Chciałabym się ostrzyc. – Josie rozmawia z kobietą po francusku. – Nie jestem umówiona.

– Ja to zrobię – mówi kobieta, a Josie zastanawia się przez moment, czy naprawdę ma do czynienia z fryzjerką, czy też wszyscy wyszli na lunch i asystentka chce sobie dorobić na boku.

Ale po chwili jest owinięta pelerynką, ma umyte i rozczesane włosy. Patrzy na siebie w lustrze. Widzi stojącego za nią Nico. Fryzjerka pyta, czego sobie życzy, a muzyka huczy.

– Chcę wyglądać doroślej i mądrzej – mówi Josie. – Chcę wyglądać jak ktoś, kto ma pracę, chłopaka i dom na wsi.

– *Non* – odpowiada kobieta. – *C'est pas possible.*

Josie patrzy na Nico, jakby potrzebowała tłumaczenia. Ten wzrusza ramionami. Kobieta zaczyna strzyc.

– Chwileczkę – wzbrania się Josie. – Co to będzie?

– Będzie pani wyglądała jak gwiazda filmowa.

– Nie chcę wyglądać jak gwiazda filmowa.

Przez cały czas palce kobiety poruszają się z prędkością światła, a szczęk nożyczek brzęczy Josie w uszach. Włosy opadają na podłogę długimi pasmami.

– Każdy chce wyglądać jak gwiazda filmowa.

– Która gwiazda? – pyta Josie słabym głosem. Znowu czuje mdłości i tym razem nie ma to nic wspólnego z ciążą.

– Skąd pani jest? – pyta kobieta.

– Ze Stanów.

– Mówi pani po francusku. Amerykanie nie mówią po francusku.

– Niektórzy tak.

– Dziś w Paryżu, na Pont des Arts, kręcą film, w którym występuje amerykańska gwiazda. Za jakąś godzinę. Dlatego wcześniej dziś zamykamy. Moja asystentka już poszła na most zająć dobre miejsce.

– Co to za gwiazda? – pyta Josie.

– Dana Hurley. Jest niesamowicie seksowna, prawda?

– Za dużo pani obcina – Nico zwraca się do fryzjerki.

– A pan kto? Chłopak?

– Nie – odpowiada Josie.

– Tak – odpowiada Nico.

Josie patrzy na niego gniewnie.

– *Alors?* – pyta fryzjerka.

Josie zamyka oczy, a dłoń młodej kobiety mierzwi jej włosy. Czuje się lekka, jakby nic nie ważyła, jakby mogła odfrunąć.

– Czy Dana Hurley ma krótkie włosy? – Nadal nie otwiera oczu.

– Tak – odpowiada stylistka. – Och, nie wiem. One tak często zmieniają fryzury. W ostatnim filmie miała boba. Nie ma znaczenia, co robi z włosami – i tak chciałabym iść z nią do łóżka.

– Ona chyba jest stara? – pyta Nico.

Josie słyszy ich, jakby byli gdzieś daleko. Z zamkniętymi oczyma, ze szczękiem nożyczek w uszach, z łomotem techno popu w kościach, ze strumieniem powietrza na karku czuje się, jakby się gdzieś przenosiła. Może jest w drodze, by stać się kimś innym.

– Och, musi mieć jakieś czterdzieści pięć lat, ale to kobieta, którą wszystkie chcemy być. Jest seksowna, pełna pasji i czuje się dobrze w swojej skórze. Wiecie, o co mi chodzi?

Bien dans sa peau. Dobrze się czuje w swojej skórze, myśli Josie. Nie czułam się dobrze w swojej skórze od ostatniej nocy z Simonem.

– Nie wiem – mówi Nico. – Nigdy nie kręciły mnie starsze kobiety.

– To dlatego, że starsze kobiety coś tracą – mówi fryzjerka. – Seks przestaje się liczyć, zajmuje je tylko praca i dom na wsi.

Josie otwiera oczy. Widzi kogoś innego w lustrze. Włosy obramowują twarz, oczy wydają się większe, a usta pełniejsze. Wygląda dojrzalej, młodziej, nie jest przestraszona i ma teraz w sobie coś dzikiego.

– *Oui, chérie?* – Fryzjerka pochyla się nad nią. – Rozumiesz, o co mi chodziło? Jesteś gwiazdą filmową, no nie?

* * *

Oceniała wypracowania w domku późnym wieczorem, gdy zadzwonił dzwonek do drzwi. W świetle

lampy werandy zobaczyła Simona stojącego z roz-
wichrzonymi włosami, z koszulą wyciągniętą ze
spodni. Obrzucił ją mrocznym i obcym spojrzeniem.

– Co się stało? – spytała.

Wszedł do środka i zatrzasnął za sobą drzwi. Przy-
parł ją do ściany i przycisnął usta do jej warg.

Jego pocałunek był mocny i natarczywy. Wepchnął
nogę pomiędzy jej uda i poczuła, jak napiera na nią
swoim ciężarem.

Gdy jego usta odsunęły się od niej, wydobył się
z nich niski i gardłowy pomruk.

Wziął jej obie dłonie jedną ręką i podniósł nad głowę, przyciskając mocno do ściany. Usłyszała własny
głos wypowiadający jego imię. Drugą rękę wsunął pod
gumkę jej spodni od piżamy, a jego noga jeszcze bardziej rozsuwała jej uda. Była mokra i kiedy się odezwała, z jej ust wydobył się tylko nieartykułowany dźwięk,
który zdusiły jego wargi.

Ściągnął z niej piżamę, która zaplątała się jej między
stopami. Usłyszała, jak rozpina pasek, potem rozporek.
Podniósł ją, ona owinęła się wokół niego nogami i już
był w niej. Puścił jej ręce, więc objęła jego plecy, a on
przyciskał ją do ściany i każde pchnięcie zbliżało ich
do siebie. Czuła go głęboko w sobie i chciała go jeszcze
więcej.

– Nie przestawaj – zdołała powiedzieć, gdy ich ciała,
teraz już mokre od potu, uderzały o ścianę.

Gdy skończył, przytrzymał ją przez chwilę. Ich serca
biły głośno. Zrzucili spodnie plączące się im u kostek

i Simon zaniósł ją do sypialni, położył na łóżku i schował twarz pomiędzy jej udami. Przycisnęła dłonią jego głowę, wygięła plecy w łuk i szczytowała falami, z których każda niosła ją coraz wyżej.

I nagle znowu był w niej. Ciągle twardy, trzymał ją pod sobą. Leżeli tak bez ruchu, mokrzy i drżący.

Czekała długo. Zostań ze mną, myślała.

Gdy wyszedł z niej, spojrzał na nią i uśmiechnął się – słodkim, wyczerpanym uśmiechem.

Oddychał spokojniej. Przesunął palcami po jej brzuchu, po biodrach.

– Popatrz na siebie. – Miał smutny i niepewny głos.

Dłoń położył na jej piersi, drażniąc sutki.

– Jesteś taka młoda. Tak niesamowicie młoda.

Josie dotknęła jego twarzy, powiodła palcem po zarysie szczęki.

– Nie zaczynaj mi z tą starością.

– Nie mogę zapomnieć o młodości. – Simon mówił cichym i poważnym głosem. – Przecież widzę ją cały czas: w filmach, na reklamach, w młodych mężczyznach i kobietach, w ich jędrnych ciałach, gładkiej skórze. Ale moja młodość ucieka niepostrzeżenie, tak żebym się nie przeraził, aż pewnego dnia ląduję w łóżku z piękną młodą kobietą. I wtedy nagle jestem stary.

– Czy to właśnie twój wiek tak cię martwi?

Wzdrygnął się i zamknął oczy. A gdy je otworzył, były nieopisanie smutne.

– Jestem dobrym człowiekiem – powiedział.

– Wiem o tym.

– Nigdy nie chciałem zrobić czegoś takiego mojej żonie.

– Czy ona…

– Nie, niczego nie podejrzewa. Nie ona.

Przerwał i czekała, aż skończy. Odgarnęła mu włosy z czoła.

– To nie romans – powiedział.

– Co to jest?

– Jestem za stary, żeby znowu zaczynać.

– Nie proszę cię, żebyś zaczynał.

– Ale nie mogę dać siebie.

– Dajesz mi siebie za każdym razem, gdy się spotykamy.

Dotknął jej ust palcem.

– Nie, to nie to – pokręcił głową. – Chodzi o to, że już nie potrafię dać siebie jej.

Wyglądał, jakby miał się rozpłakać. Wyglądał jak ktoś inny, ktoś nieznajomy.

– Jesteś tak cholernie młoda.

– Dlaczego ma to znaczenie?

– Moja żona. Teraz, ile razy na nią patrzę, widzę…

– Nie, przestań. Nie chcę się za to obwiniać.

– To nie twoja wina.

– Nie porównuj nas. To niesprawiedliwe.

– Nie mogę cię odsunąć. Jesteś ze mną cały czas.

Przyciągnął ją i przytulili się do siebie.

– Ile czasu minie, zanim odrosną? – Nico wygląda jak przestraszony chłopiec.

– Och, nie bądź głupi, jest świetnie. Właśnie tego bym chciała, gdybym tylko wiedziała, czego chcę. Dopiero pomogła mi lesbijka.

– Odwróć się.

Okręca Josie na środku chodnika, a kilka osób zatrzymuje się, żeby popatrzeć. Wszyscy się uśmiechają, jakby im też podobały się potargane włosy, nieśmiały uśmiech, młody wielbiciel.

– *Bon* – mówi z przekonaniem. – Nadal cię kocham.

– Nie mów o miłości. Nie kochasz się we mnie.

Nico nachyla się i całuje Josie w usta. Ona zaskoczona robi krok w tył, otwierając usta w niewielkie „o". Nico uśmiecha się i odwraca od niej.

– Idź za mną.

Josie nie rusza się z miejsca. Ludzie mijają ją. Patrzy, jak Nico raźnie maszeruje przed siebie. Przypomina sobie ostatni raz, gdy widziała Simona. „Czekaj na mnie", powiedział. Pocałował ją na werandzie, a nigdy nie zachowywał się tak śmiało w świetle dnia. Przypatrywała mu się, jak szedł po zalanej słońcem ulicy do samochodu. Znikał w oślepiającym świetle słońca i usiłowała śledzić go wzrokiem, aż zaczęły jej łzawić oczy. Odszedł. Nadal stała, czując jego usta na swoich. „Czekaj na mnie".

– Idziesz?! – woła Nico.

Josie kręci przecząco głową. Patrzy, jak wraca do niej.

– Nie wściekaj się. Musiałem to zrobić.

– On odszedł.

– Twój kochanek?

– Nie mogę mu pokazać nowej fryzury.

Nico czeka cicho na ciąg dalszy.

– Nie mogę się pożegnać.

Chłopak kładzie jej rękę na ramieniu.

– Teraz się żegnasz.

Josie potrząsa głową, a jej włosy tańczą i znowu opadają.

– Wiesz, czego mnie nauczył? Nauczył mnie czuć więcej, bardziej poddawać się uczuciom. A teraz to wszystko, co mam. Przytłaczają mnie uczucia, nie mogę oddychać.

Nico bierze ją pod ramię i prowadzi. W końcu docierają do końca małej uliczki, a przed nimi rozciąga się trawnik.

– Wiem, gdzie jesteśmy – mówi Josie.

Patrzy na koniec trawnika i widzi wieżę Eiffla. Jest wielka, majestatyczna. Nie ma znaczenia, ile razy Josie ją widziała, ten widok za każdym razem zapiera jej dech w piersiach.

– Chodźmy. – Josie dokładnie wie, o co mu chodzi.

* * *

Brady zapukał do gabinetu Josie, chociaż drzwi były otwarte.

– Cześć – przywitała go.

Wyciągnęła rękę i zaproponowała krzesło po drugiej stronie biurka. Czytała akurat współczesną francuską powieść, którą ewentualnie mogłaby wykorzystać w przyszłym semestrze. Chciała czegoś nowego. Już wiedziała, że opowiedziana historia nie jest odpowiednia dla jej uczniów – zbyt pośpieszna i pełna scen seksu, co bez wątpienia ich zachwyci i przysporzy jej mnóstwa kłopotów, ale czytała dalej.

– Przeszkadzam? – spytał Brady.

– Ani trochę. – Odłożyła książkę na biurko, okładką w dół, jakby czytała coś niedozwolonego. – Co słychać?

– Zastanawiałem się… – Brady rozejrzał się po gabinecie, spojrzał na zawieszone na ścianach zdjęcia – strumyk za jej domkiem – na stertę książek na podłodze, popatrzył przez okno na uczniów wsiadających do samochodów i wracających do domów.

Przyglądała mu się w milczeniu. Miał zdumiewająco zielone oczy jak Simon, gęste włosy jak Simon, wzrost Simona. W małym pomieszczeniu zdała sobie sprawę, że nawet pachnie jak Simon, i odepchnęła od siebie tę myśl. Oczywiście, przecież używają tego samego mydła.

– Tata chce, żebym poszedł do college'u. No, wie pani, nauki humanistyczne. Jak wszyscy na świecie. Zawsze uważałem, że tak zrobię. No, w zasadzie to się nigdy nad tym specjalnie nie zastanawiałem, ale teraz jestem w końcu w przedostatniej klasie i muszę o tym pomyśleć.

Wyrzucił to z siebie pośpiesznie, połykając końcówki.

– A czego ty chcesz, Brady? – spytała.

– No właśnie. Nad tym się zastanawiałem. To jest całkiem szalone, ale naprawdę podobała mi się praca nad sztuką. Jakbym był tam kimś innym, i ja to czuję, naprawdę, jak aktorzy zamieszkują innych ludzi, rezygnują z siebie i żyją krótko w cudzym ciele. I to ta dzika część, ta część, której nigdy bym nie pojął, gdyby nie zdarzyła się mnie. A gdy sztuka się kończy i wraca się do bycia sobą, jest się już kimś innym. Zmieniasz się. To już nie ta osoba, którą grałeś na scenie, ale zabierasz odrobinę jej ze sobą.

Westchnął.

– Myśli pani, że zwariowałem, jak nic.

– Nie, uważam, że jesteś bardzo mądry.

– Naprawdę? To fajnie. Zastanawiałem się nad tym i naprawdę nie wiedziałem, czy jestem w stanie to wyjaśnić. A jeśli tak, to komu bym to powiedział.

– Mnie.

– No. Pani to rozumie. To naprawdę fajnie.

Uśmiechnął się szeroko i usiadł na brzegu krzesła, poruszając nogami do niesłyszalnego taktu i wybijając palcami rytm na kolanach.

– A kwestia szkoły? – spytała, choć już wiedziała, co on zaraz powie.

– Mógłbym pójść do szkoły aktorskiej – złożyć podanie do szkoły dramatycznej na UCLA i do USC, i do programu Tisch na NYU. Dostałem już wszystkie katalogi informacyjne i je przeczytałem; potem nie mogłem zasnąć, jestem tym tak nakręcony. Musi to pani koniecznie przeczytać. To znaczy piszą wszystko to, o czym pani mówiła, zanim zaczęliśmy sztukę. O szukaniu w sobie tego, co możemy wykorzystać

w roli. O uczeniu się postaci, jakbyśmy uczyli się oddychać w całkiem nowy sposób.

Wstał i podszedł do jednego ze zdjęć na ścianie.

– To jest fajne. Naprawdę świetne. Pani je zrobiła?

– Aha. Zeszłego lata.

– Pani jest wspaniała. Normalnie najlepsza ze
wszystkich nauczycieli.

Obrócił się na pięcie, spojrzał na nią i opadł na
krzesło.

– Musi pani porozmawiać z moim tatą.

– To nie najlepszy pomysł, Brady.

– Tak. Pani sobie z nim poradzi. On pani posłucha.
Mnie nie słucha.

– To nie należy do moich obowiązków.

– Wystarczy tylko powiedzieć mu, że jestem dobry.
Bo jestem wystarczająco dobry, prawda?

Spojrzała na niego i zobaczyła, że ogarnęło go przerażenie; on nie wie, czy właśnie to powinien robić.

– Jesteś wystarczająco dobry, Brady.

Zerwał się z krzesła.

– Więc musi pani z nim pogadać. Powiedzieć mu
o tym. Powiedzieć, że mnóstwo mądrych dzieciaków
idzie do szkoły aktorskiej.

– Nie wiem, Brady. To, czego chce twój tata, nie jest
złym pomysłem. Aktorstwo możesz studiować później.

– Ale to jedyne, na czym mi zależy! – krzyknął. –
Nie rozumie pani? Myślałem, że mnie pani zrozumie.
Myślałem, że pomoże mi się pani stąd wydostać.

– Porozmawiam z nim – powiedziała cicho.

– Jak najszybciej. W przyszły weekend lecimy poznać programy szkół. Strasznie się na to napalił. Męska sztama – ojciec i syn. Nigdy go nie było przy mnie, a teraz jest moim najlepszym cholernym przyjacielem.

Nico i Josie zaczynają wchodzić na górę. Schody wiją się we wnętrzu jednej z nóg wieży Eiffla – Pilier Est, Filaru Wschodniego. Josie ma wrażenie, że znalazła się w brzuchu gigantycznej zabawki. To spory wysiłek – jest zadowolona, że schody dochodzą tylko do drugiego poziomu. Potem będą musieli wsiąść do windy, jak pozostali. Są sami w tym stalowym gąszczu. W pewnym momencie mija ich sprintem jakiś chłopczyk, jakby został wystrzelony z działa. Nagle Josie czuje się stara. Jak ten chłopak może tak pędzić po schodach? Czy jeszcze trzy tygodnie temu nie była młoda i sprawna?

Pomiędzy metalowymi sztabami wieży miga jej miasto: tu płynąca zakolami rzeka, tam porośnięty trawą teren Champ de Mars. Nie ma lęku wysokości; nie jest małą dziewczynką ze swojej opowieści. Straciła matkę, ale na pewno nie spodziewa się jej znaleźć na szczycie wieży. Jej ojciec jednak może na nią czekać, wyglądając przez okno domku, z zapalonym żyrandolem nad głową, wpatrując się w ulicę. Czeka, aż Josie wróci do domu – może przyprowadzi ze sobą miłego młodego chłopca, narzeczonego. To jedyne, czego on pragnie.

Idiotyzm, dochodzi do wniosku Josie. Nico wymyślił dla niej terapię, sposób na uwolnienie jej od żałoby dzięki wysiłkowi fizycznemu. Dobrze. Przynajmniej przestali rozmawiać. Przynajmniej przestał się w nią wpatrywać jak głodny szczeniak.

I przynajmniej nadal ma swoje trampki, a nie jakieś idiotyczne szpilki.

Nico jest kilka kroków przed nią i niestrudzenie się wspina. Zaraz się okaże, że w wolnym czasie jest sportowcem olimpijskim. Dziwne, myśli. Nic o nim nie wiem. Dlaczego został korepetytorem? Czy taki sobie wybrał zawód, czy to tylko zajęcie, dzięki któremu może zarabiać w przerwach między pisaniem wierszy? Kiedyś była ciekawa ludzi. Zbierała wszędzie opowieści nieznajomych o ich życiu, nawet w samolotach i autobusach. Obecnie z nikim nie rozmawia. A teraz oto spędza z kimś cały dzień i tak mało się o nim dowiedziała. On kocha inną korepetytorkę francuskiego. Będąc malcem, schował się w piwniczce. Ma dziecko w Maroku. Kim jest? Czy naprawdę się w niej zakochał, czy to taki czarujący sposób na uczenie naiwnej dziewczyny z Ameryki? I dlaczego, do cholery, ona wchodzi za nim na szczyt wieży?

Usiłuje ukryć nierówny oddech. Chodziła po górach albo jeździła na rowerze dawno temu. Do chwili spotkania Simona. Straciła umiejętność oddychania od czasu Simona.

* * *

– Co będziemy robili w Paryżu, gdy już kupimy ci nowe buty? – spytał Simon.

To ona miała być przewodnikiem, znała francuski. On był w Paryżu w interesach raz czy dwa, ale w ogóle nie znał miasta. Czy był na wieży Eiffla? Pewnie nie. A teraz, oczywiście, nigdy się tego nie dowie.

– To samo co tu.

– Zła odpowiedź – uśmiechnął się Simon. – Ruszymy się z łóżka i obejrzymy miasto. Chcę przejść po każdej ulicy, trzymając cię za rękę.

To miała być ich pierwsza wspólna wycieczka, szansa, by razem zasypiać i budzić się przez sześć dni z rzędu.

– Jeszcze jedno piętro! – woła Nico, niczym osobisty trener zachęcający do zrobienia siedemdziesięciu trzech pompek. Teraz widać coraz więcej nieba, wijąca się rzeka wydaje się dłuższa i węższa, a domy zamieniły się w zlewające się ze sobą dachy.

Niebo ciemnieje i przez wieżę przechodzi chłodna bryza. Josie czuje wiatr na karku i przypomina sobie o nowej fryzurze. Podnosi rękę i przesuwa dłonią po włosach. On nigdy tego nie zobaczy, myśli.

– To nie działa! – woła za Nico.

– Co nie działa?

– To nie twoje lekarstwo? Nie powinnam się już lepiej czuć?

– Wspinaj się dalej!

Josie czuje wilgoć na krzyżu. Podwija podkoszulkę i ściera pot. Dłoń wędruje do brzucha i tam się zatrzymuje. Jest płaski, napięty – taki sam jak zawsze. Ale ona ma pewność, że jest w ciąży. Zrezygnowała z pigułek, a Simon zaczął używać prezerwatyw. Zapomnieli o nich?

Dzień na łodzi. Myśleli tylko o toni jeziora, lodowatej wodzie, kołysaniu się łodzi. Ryzykowali jego małżeństwo, jej pracę, jego relacje z synem, jej relacje z ojcem.

Nigdy nie pomyśleli o innym ryzyku, które podejmowali.

Simon odszedł, Brady odszedł. Josie trzyma dłonie na brzuchu i wchodzi po schodach.

– Nigdy nie byłem na szczycie wieży! – woła Nico.

– Boisz się?

– Wysokości? Nie. Miłości. Może.

– Chodzi o miłość?

– Każdy Francuz albo kocha wieżę, albo nienawidzi wieży. Nie można jej zignorować. Stoi tu codziennie, blokując widok lub upiększając go. Nie ma znaczenia, gdzie jesteś. Wieża jest zawsze.

– A ty ją kochasz czy nienawidzisz?

– Dziś zdecyduję.

Josie idzie się lżej. Nagle łapie drugi oddech i stopnie wydają się łatwiejsze do pokonania. Jest więcej powietrza, owiewa ich lekka bryza. Zachwyca ją to, że czuje powietrze na karku.

– Ja też dziś zdecyduję! – woła do Nico.

– W sprawie wieży?

– W sprawie Prowansji. Zdecyduję, czy całkiem stracę głowę i ucieknę z moim nauczycielem.

– To dobre miejsce, żeby stracić głowę.

* * *

Spotkali się w motelu przy trasie numer 101, pół godziny drogi z ich domów. To było nieco ryzykowne – Simon powiedział, że nie ma czasu daleko jechać. Robił się nieostrożny. Kilka dni wcześniej zadzwonił do niej ze swojego domu, późną nocą, gdy jego żona już spała. Po dziesięciu minutach rozmowy usłyszeli stuknięcie i rozległ się głos Brady'ego.

– Halo? Tato? Rozmawiasz przez telefon?

– Tak.

– Jest pierwsza w nocy.

– Brady, idź spać. Zaraz skończę.

– Z kim rozmawiasz?

– Niemcy. To w interesach. Proszę, nie przeszkadzaj nam dłużej.

Brady z trzaskiem odłożył słuchawkę, a Simon powiedział:

– Nikogo tam nie będę znał. To nora. Muszę się z tobą zobaczyć.

– Ja znam ludzi, który zatrzymują się w norach.

– Josie, proszę. Mam coś dla ciebie.

Odwołała spotkanie stowarzyszenia najlepszych absolwentów, na którym mieli zająć się planowaniem podwieczorku.

– Został nam tylko tydzień do końca roku – jęczała Alicia Loy. – Musimy się spotkać.

– Alicia, to tylko cholerny podwieczorek. – Josie pożałowała tych słów, jak tylko je wypowiedziała. – Nie dam rady, mówiłam ci. Wyjątkowa sytuacja.

Kiedy dotarła, motel – nora to mało powiedziane – wyglądał na opuszczony i gotowy do rozbiórki. Zaparkowała koło audi Simona i zapukała do pokoju, w którym paliło się światło.

Otworzył drzwi i wciągnął ją szybko do środka.

– Nie oddychaj. Śmierdzi, jakby ktoś tu zmarł.

– Jakie to romantyczne.

Trzymał ją mocno, przywierając do jej pleców. Pocałował ją w głowę.

– Na łóżku – wyszeptał – jest prezent.

Spojrzała na wełniany koc, szarą pościel, rozrzucone poduszki. Widać było, że wyrko zapada się w środku.

– Pod łóżkiem – wyszeptała – jest trup.

– Tylko tak pachnie. Sprawdziłem.

– Nie widzę twojego prezentu.

– Jest tam, gdzie zawsze są prezenty. Pod poduszką.

Obróciła się w jego ramionach i pocałowała go.

– Jeśli będę blisko ciebie – wymruczała – to poczuję tylko twój zapach. A ty pachniesz cudownie.

– Idź obejrzeć swój prezent.

Wysunęła się z jego ramion i spojrzała na niego. Był wręcz chłopięcy w swoim rozradowaniu.

Podniosła najbliższą poduszkę. Koperta. Sięgnęła po nią i spojrzała na rysunek wieży Eiffla wykonany z polotem.

– Ty to narysowałeś?

To jeden z moich licznych talentów. A ty myślałaś, że jestem dobry tylko w łóżku.

– Jejku. Artysta.

– Francuski artysta.

– Rysowanie wieży Eiffla nie zrobi z ciebie francuskiego artysty, kochany.

– Otwórz kopertę.

Posłuchała. W środku były dwa bilety lotnicze pierwszej klasy do Paryża.

Odwróciła się do niego z szeroko otwartymi oczami.

– Możesz tak zrobić?

– Mogę.

– Jak?

– Wyjazd w interesach. Nie ma znaczenia. Polecimy, jak tylko skończy się rok szkolny.

– Mam spotkania nauczycielskie. Nie… tak, odwołam wszystko. Lecimy do Paryża!

Rzuciła mu się w ramiona.

– Pomożesz mi znaleźć hotel. Nie wiedziałem, w której dzielnicy. Nie wiedziałem, czy wolisz coś wystawnego, czy kameralnego. Chcę dowiedzieć się takich rzeczy o tobie. Chcę jeść z tobą w cudownych restauracjach, nie martwiąc się, że ktoś nas zobaczy.

– Nauczę cię francuskiego i będziemy mówić sobie w łóżku nieprzyzwoite rzeczy.

– Nie mam zdolności do języków.

– Będę twoją korepetytorką.

– Nie mówisz nic nieprzyzwoitego po angielsku.

– To dlatego, że nie mogę złapać tchu.

– Powiedz po francusku „rozbierz mnie".

– *Déshabille-moi*.

– Powiedz „przeleć mnie".

– *Baise-moi.*

– Powiedz „zjedz mnie".

– *Dévore-moi.*

– Powiedz „nigdy nie przestawaj".

– *N'arrête jamais.*

– Powiedz, że polecisz ze mną do Paryża.

– *Je t'aime.*

Nico i Josie docierają na szczyt wieży. Josie oddycha głęboko i w końcu wygląda na zewnątrz. Przed chwilą z przyjemnością wsiadła do windy – ale gdy sunęli do góry, nie otwierała oczu.

Ale teraz patrzy daleko przed siebie. Wieża widokowa jest pełna ludzi, którzy zdają się mówić naraz – mieszanina języków i dźwięków. Podchodzi powoli i niepewnie do jednego z okien. Ma wrażenie, że jeszcze nie wylądowała, że jej nogi muszą się wspinać. Idzie krokiem marynarza, choć od morza dzielą ją kilometry.

Gdy dochodzi do okna, wciąga w płuca powietrze i je zatrzymuje. Jakby nie chciała wypuścić tego, co widzi. Przed nią rozciąga się cały Paryż, od wzgórza z Sacré Coeur, przez brzegi Sekwany, aż po najdalsze krańce każdej dzielnicy. Chmury wirują wokół niej, na wysokości wzroku, co jakiś czas miasto znika, a ona zmierza do nieba. Wtedy podmuch wiatru odpycha chmury i, jak za sprawą magii, Paryż leży u jej stóp.

Patrzy przed siebie i widzi to, co musiał widzieć Simon w swoim małym samolocie. Chmury, niebo, przestrzeń. Jest ogromna, nieskończona i ekscytująca.

„Zabierz mnie", powiedziała, gdy przyznał się, że kocha latać.

Teraz wie. Teraz ma ten brakujący element układanki. Uwielbiał to: nieokiełznane przestworza, zmienność chmur i nieba, potęgę wysokości.

– Dziękuję ci – mówi do Nico.

On stoi obok niej dłuższą chwilę, milczą, wpatrując się w niebo.

Josie przypomina sobie ciężar ciała Simona po tym, jak się kochali. Robili się ciężcy, wtulali w siebie tak mocno jak to możliwe. „Jeszcze bliżej", mówił. „Tak", odpowiadała. Po zatraceniu się podczas seksu przywierali do siebie. Nie mogła dzielić ich żadna przestrzeń.

Czy zmarł w przestworzach? Czy coś się stało z samolotem, gdy sunął przez niebo? Czy właśnie to widział, umierając? Czy też spadł i umarł, gdy samolot wbił się w twardą ziemię. Czy on i Brady wiedzieli, że zginą? Czy czekali, aż to się stanie?

„Zabierz mnie", powiedziała do Simona.

Odszedł bez niej.

Z jej ust wydobywa się jęk i Nico ją obejmuje.

Chmury poruszają się i ich otaczają. Już nie widzą miasta pod sobą. Teraz są owinięci srebrzysto-czarnymi obłokami, otoczeni przestworzem.

– Kocham – mówi w końcu Nico. – Moja wieża. Mój Paryż.

* * *

Simon miał przyjechać do domku Josie po obiedzie – powiedział żonie, że jego klient jest w mieście, musi więc wpaść do niego do hotelu, postawić mu drinka i dobrze go nastawić przed spotkaniem następnego dnia. Gdy zadzwonił dzwonek, sądziła, że Simon przyjechał wcześniej. Podbiegła do drzwi, otworzyła je z rozmachem i na werandzie zobaczyła swojego ojca z kwiatami w ręku.

– Tato!

– Przeszkadzam?

– Nie, oczywiście, że nie. Po prostu jestem zaskoczona.

– Twój staruszek był w okolicy.

Przebiegła pamięcią daty – nie były to urodziny jej matki, nie ich rocznica ślubu ani rocznica jej śmierci.

– Tato, nie potrzebujesz wymówki. Chodź, zjesz ze mną obiad.

– Obiad? Nie, dziękuję. Chciałem tylko posiedzieć z moją dziewczynką.

– Ja jem. Jeśli chcesz ze mną posiedzieć, to też musisz zjeść.

Odsunęła się i wpuściła go do środka. Ściskał kwiaty, jakby nie miał zamiaru dać ich Josie.

– Ładnie pachnie. – Ruszył prosto do kuchni.

– Muszę zadzwonić. Nalej sobie wina. Zaraz wrzucę makaron.

– Makaron. Wino. Powinienem częściej przyjeżdżać.

Uśmiechnęła się i pocałowała go. Wydawał się mniejszy. Nie, to ona przywykła do stawania na palcach, żeby móc pocałować Simona.

Poszła do sypialni i zamknęła drzwi. Musiała skontaktować się z Simonem i powiedzieć mu, żeby nie przyjeżdżał. Pewnie jest w domu i je obiad z żoną i Bradym. Zadzwoniłaby na jego komórkę, ale to było ryzykowne. Musiała to zrobić – nie chciała, żeby pojawił się tu teraz, gdy jest u niej ojciec.

Wystukała jego numer. Telefon dzwonił i dzwonił.

Rozłączyła się i wysłała SMS-a: „Zadzwoń do mnie".

Byli ostrożni, jeśli chodziło o SMS-y. Jego żona mogła korzystać z jego telefonu.

Odczekała kilka minut, chodząc po pokoju. Nieładnie tak zostawiać tatę samego, skoro przejechał taki kawał drogi. Simon jest prawdopodobnie w trakcie obiadu. Spróbuje później.

Ojciec szukał w kuchni wazonu.

– Tu, na górze. – Sięgnęła nad lodówkę po wysoki szklany cylinder. – Są piękne. – Niebieskie irysy. Matka uwielbiała irysy. Josie ponownie usiłowała sobie przypomnieć, co to za dzień – ani imieniny matki, ani urodziny ojca. Co kazało mu wsiąść do samochodu i jechać półtorej godziny, żeby się u niej pojawić? Nie miała pojęcia. Postawiła wazon z kwiatami na parapecie, obok kuchennego stołu.

– Ładne. – Była zadowolona. – Nigdy nie przynosiłeś mi kwiatów.

– Ktoś powinien cię rozpieszczać.

Zadzwonił telefon. Skoczyła do niego.

– Cześć – szepnął Simon.

– Pan Reed. Dziękuję, że pan oddzwania. Muszę z panem porozmawiać o wyborze college'u przez pańskiego syna. Rozmawiał ze mną o tym kilka dni temu i obiecałam, że z panem pomówię.

– Bardzo dziękuję, pani Felton. Jest pani bardzo odpowiedzialna – usłyszała w słuchawce.

– Ale mój ojciec właśnie przyjechał z wizytą. Możemy to przełożyć na inny dzień?

– Możesz rozmawiać – nalegał tata. – Ja poczekam.

Potrząsnęła głową. Teraz nie było sensu zabierać telefonu do drugiego pokoju. Wpadła we własne sidła.

– Może przedyskutujemy to podczas jutrzejszej konferencji rodzic–nauczyciel. O której pan przyjedzie? Mam to gdzieś zapisane...

– Przyjedziesz do domu na lunch? – wyszeptał Simon. – Wpadnę wtedy. Brady i ja wylatujemy o trzeciej.

– A zatem w południe. Dziękuję panu bardzo, panie Reed.

Odłożyła słuchawkę.

– Jesteś bardzo dobra w tym, co robisz – powiedział tata. – Wydaje się, jakbym dopiero co ja mógł prowadzić taką rozmowę z jedną z twoich nauczycielek.

Nie, pomyślała Josie. Nigdy nie prowadziłbyś takiej rozmowy.

Podeszła i ponownie go pocałowała.

– Dzięki, że przyjechałeś. Tęskniłam za tobą.

– Mogłabyś mnie raz na jakiś czas odwiedzić.

– Mam mnóstwo pracy w weekendy.

– To zabierz ją ze sobą. Raz na jakiś czas ugotuję ci obiad. Gdzie to wino? Nie mogłem go znaleźć.

Josie wyjęła butelkę z szafki i otworzyła ją. Jej ojciec nie miałby romansu. Był dobrym mężem, lojalnym człowiekiem. Ale Simon powiedział, że nigdy sobie nie wyobrażał wymykania się tylnymi drzwiami i kochania się z inną. „Jestem dobrym człowiekiem", powiedział. Czy przestał nim być, gdy się w niej zakochał?

Nalała wina do kieliszków. Upiła łyk. Wieczór z tatą zamiast z kochankiem. Nie była rozczarowana. To okazja, żeby złapać oddech.

– Usiądź, a ja dokończę przygotowywać obiad – powiedziała.

Siadł przy stole i się jej przyglądał. Włożyła makaron do gotującej się wody i nakryła do stołu. Wcześniej zrobiła sos – prosty pomidorowy z ziołami ze swojego ogródka. Wymieszała sałatę z winegretem.

– No, no. Mama byłaby z ciebie dumna.

Josie uśmiechnęła się. Często myślała: Szkoda, że mama nie widzi, jak gotuję. Szkoda, że mama nie widzi, jak uczę. Ale kiedy zaczęła romansować z Simonem, już nie żałowała, że mama jej nie widzi. Teraz, gdy myślała o niej, czuła gorący płomień wstydu.

– Powiedz mi, co słychać, tato? Jak sklep?

– Nic nowego. Nic już się nie zmienia. Któregoś dnia go sprzedam i przeniosę się do Palm Springs.

– Nie zrobisz tego. Zostawiłbyś mnie?

– Może w Palm Springs byś mnie częściej odwiedzała.

– Nie zgadniesz, gdzie niedługo będę. W Paryżu!

Zadzwonił minutnik, więc sprawdziła makaron i przelała go do cedzaka. Podgrzała sos, obmyślając kłamstwo.

– Pamiętasz Whitney? Moją przyjaciółkę z college'u? Jedziemy razem na tydzień.

– Możesz pozwolić sobie na coś takiego z nauczycielskiej pensji?

– Whitney znalazła niezłą okazję. Nie mogę się już doczekać. Paryż.

– Dobrze. Przywieź mi ten beret, w jakich tam chodzą staruszkowie. Dobrze bym w nim wyglądał.

Josie uśmiechnęła się.

– Świetnie byś w nim wyglądał.

Podała jedzenie i usiadła naprzeciwko ojca.

– Naprawdę chcesz się przeprowadzić do Palm Springs?

– Kto wie. Zastanawiam się nad tym. Pewna moja znajoma ma tam dom. Zaprasza mnie.

– Znajoma?

– Człowiek nie może już mieć znajomych?

– Bliska znajoma?

– To nie jest niemożliwe.

– Tato. To świetnie. Od kiedy?

– Od nigdy. Powiedziałem, że to nie jest niemożliwe.

– Opowiedz mi o tej znajomej.

– Poznałem ją na brydżu. Bardzo miła.

– Cieszę się, tato. Naprawdę się cieszę.

– Co jest z tobą nie tak? Twój staruszek może kogoś poznać, a ty nie możesz przyprowadzić chłopaka?

– Przyprowadzę chłopaka, tatku. Obiecuję.

– Tak?

– To bardzo skomplikowane. Jest pewien mężczyzna, którego lubię. Nie wiem.

– Kto ma wiedzieć?

Ojciec odstawił kieliszek. Odsunął krzesło i wstał.

– Jest żonaty – stwierdził cicho.

– Tego nie powiedziałam.

– Miłość nie jest skomplikowana. To żonaci mężczyźni są skomplikowani.

– Zapomnij, że cokolwiek mówiłam.

– Twoja matka byłaby tym bardzo zmartwiona.

– Nie wciągaj jej w to.

– Nie jestem głodny.

– Tato, usiądź.

Ojciec opuścił kuchnię. Josie była na siebie wściekła za to, że cokolwiek powiedziała – nie było powodu mówić o Simonie. Poszła za ojcem.

Stał przy drzwiach wyjściowych, jakby zastanawiał się, czy ma zostać, czy nie. Wpatrywał się w okno z ponurą miną.

– Tego dnia u twojej mamy zdiagnozowano nowotwór – powiedział cicho, jakby nie mówił do niej. – Osiem lat temu.

– Och – wypowiedziała z trudem Josie. Bała się, że jeśli podejdzie do ojca, on otworzy drzwi i zniknie.

– Poszedłem z nią do szpitala. Myśleliśmy, że to nic – trochę puchły jej kostki, czuła lekki dyskomfort, nic poważnego. Ale wiesz, jak bardzo nienawidziła lekarzy.

Ręce zwisały mu bezwładnie. Wyglądał na bezradnego, zagubionego, jakby to, co stało się osiem lat temu, przydarzało mu się raz za razem.

– Poszła na wizytę, a ja zostałem w poczekalni z tymi wszystkimi kobietami. Potem przyszła pielęgniarka i powiedziała: „Doktor pana zaprasza". Wtedy wiedziałem już wszystko. Nie musiał nic mówić.

– Jak mama zareagowała? – spytała Josie.

– Milczała. Była przestraszona. Siedliśmy naprzeciwko doktora w jego eleganckim gabinecie i słuchaliśmy, jak mówi o operacji, chemii i nowych metodach terapii. Ale już wtedy byłem pewien: straciłem ją. Straciłem swój świat. Straciłem swoje życie.

Po jego twarzy spływały łzy. Josie otarła swoje wierzchem dłoni.

– Przepraszam, że byłam tak daleko.

– Och, zrobiłaś to, co mogłaś. To, co wszystkie dzieci robią. Nigdy nie mieliśmy do ciebie pretensji.

– Zjedz ze mną obiad, tato.

– Minęło osiem lat. A ciągle czuję to samo. Nie mogę tych emocji zebrać i schować do pudełka.

Podeszła do niego. Odwrócił się w jej stronę i pozwolił się objąć. Po chwili się odsunął.

– Żadnych żonatych – powiedział.

– Kto powiedział cokolwiek o żonatym?

Nico i Josie zjeżdżają windą z wieży Eiffla.

– Przejdźmy się wzdłuż Sekwany – proponuje Nico.

– To pierwszy dzień mojego powrotu do świata – stwierdza Josie, gdy kierują się ku rzece.

Najpierw idą szerokim bulwarem wzdłuż ulicy, poniżej po lewej płynie Sekwana, za nią stoi Grand Palais, a dalej Luwr. Schodami przechodzą na ścieżkę biegnącą wzdłuż rzeki, która chroni ich od ruchu ulicznego i ścisku pieszych.

– Ukrywałaś się?

– Ukrywałam? – Josie zastanawia się nad tym słowem. – Nie, nie mam gdzie się ukryć. Próbowałam w łóżku z wysoko podciągniętą kołdrą, ale nawet wtedy mnie znajduje i powala.

– Smutek?

– Gdyby to był smutek. Wydaje się lżejszy od tego, co teraz czuję. To cios w brzuch. Uderzenie żałości.

– A gdy twoja mama zmarła…? – Nico urywa. – Przepraszam. Zadaję za dużo pytań.

– Owszem. – Lecz wsuwa mu rękę pod ramię.

Przez chwilę milczą. Niebo zasnuły chmury i znowu gdzieś w oddali słychać grzmot.

– Gdy zmarła moja mama, pamiętam, jak myślałam, że już nie jestem dzieckiem. Wszystko skończyło się naraz. Zrobiłam dyplom, byłam tysiące kilometrów od domu, a ona zniknęła. Trochę się obijałam – ale to było co innego. Teraz żałoba każe mi pełzać po ziemi, wtedy byłam jak puszczona luzem i nie mogłam się zatrzymać. Uprawiałam często seks. Czy to nie dziwne? Spałam z każdym chłopakiem, którego znałam – starzy znajomi, nowi znajomi, przelotni znajomi. Chyba usiłowałam coś poczuć. Teraz czuję zbyt dużo.

– Co się stało?

Josie patrzy na niego zdziwiona. – Och, niewiele. Spędziłam tak rok czy dwa. A potem zatęskniłam za ojcem. Starałam się o wszystkie posady nauczyciela w promieniu stu pięćdziesięciu kilometrów od domu. I trafiłam do Marin. Nigdy mu nie powiedziałam, że wróciłam, by być blisko niego.

– Dlaczego nie?

– Ponieważ jak tylko tam przyjechałam, rzadko się widywaliśmy.

Josie pomyślała o ostatniej wizycie taty. Już nie mówili o Simonie. Milcząc, zjedli makaron i sałatkę, wypili wino. Po chwili opowiedział jej długą historię o dwóch chłopakach, którzy usiłowali okraść jego sklep spożywczy, ale w trakcie kradzieży wdali się w kłótnię i jeden uderzył drugiego, zaczęli się gonić i wybiegli ze sklepu. Josie poradziła, żeby sprzedał sklep, że Palm Springs to może dobry pomysł. To takie proste: siedzenie i obiad z ojcem. Kiedy wstał, żeby pojechać do domu, powiedziała: „Przyjadę na następny weekend". Twarz mu się rozjaśniła.

A potem zginął Simon. Zadzwoniła do taty i przeprosiła, że nie może przyjechać, bo jest chora i leży w łóżku.

– Zmęczyłam się mówieniem. – Josie nie cofa ręki spod ramienia Nico. – Opowiedz mi o tej kobiecie, którą kochasz. O tej korepetytorce.

– Wspomniałem o niej?

– Tak. Spałeś z nią, ale nie z jej chłopakiem.

– Hm. Musiałem wypić za dużo wina do obiadu.

– Jak ona ma na imię?

– Chantal.

– Ładnie.

– Ona też jest ładna. Tylko raz z nią spałem. Choć od wielu nocy myślę o niej, kiedy idę do łóżka.

– Kładziemy się spać, myśląc o wielu ludziach.

– Tak. To jest łatwe. Przekształcenie fantazji w rzeczywistość jest dużo trudniejsze.

– Czy ona cię kocha?

– Ma chłopaka, zapomniałaś?

– Czy kocha swojego chłopaka?

– Nie mam pojęcia. Ale nie rozumiem za dobrze kobiet. On ma złą opinię. Sypia z uczennicami.

– Ty nie – uśmiecha się Josie. – Ty byś czegoś takiego nie zrobił.

– Ja nie miałbym tyle szczęścia.

– Ale miałeś go dość, żeby spać z jego dziewczyną.

– Tak. W zeszłym tygodniu całą trójką poszliśmy na kilka drinków po pracy.

– Dziś też się wybieracie?

– Dziś wsiadam w pociąg do Prowansji.

– Oczywiście.

Po rzece sunie statek wycieczkowy i słyszą, jak głośnik wyszczekuje niezrozumiałe słowa. Oboje odwracają głowy w tym kierunku. Chyba wszyscy turyści na nich patrzą. Para spacerująca brzegiem Sekwany. To powinien być Simon, myśli Josie. Wysuwa rękę spod ramienia Nico i wkłada ją do kieszeni.

– Tamtego wieczoru po pracy… – zachęca go. Statek już ich wyminął, wracają więc do rozmowy.

– Tamtego wieczoru Philippe flirtował z jakąś kobietą w kawiarni. Siedziała przy stoliku nieopodal, z psem, a on co chwila podchodził i go głaskał. W końcu zaprosił tę dziewczynę. Dla mnie, jak powiedział. Żebym nie był sam. Dziewczyna z psem przysiadła się do nas. Wiedziałem, że Chantal jest niezadowolona. Często jest z niego niezadowolona. Ale zwykle idzie z nim każdego wieczoru. Nie rozumiem jej.

– Ale ją kochasz.

– Och, nie wiem, czy ją kocham. Jest piękna w bardzo poważny sposób. Nie tak jak ty.

– Ja jestem piękna w niepoważny sposób.

– Ani trochę. Nawet teraz masz w sobie coś bardzo żywego.

– Nawet teraz.

– Przetrwasz to.

– Jesteś bardzo miły, ale zmieniasz temat. Chantal.

– Tak. Chantal była zła. Ona nie okazuje łatwo uczuć. Przyglądam się jej twarzy i widzę, jak się zmienia.

– Lubię cię, Nico.

Zatrzymują się i on patrzy na Josie.

– Żadnego całowania. Idziemy, opowiadaj.

– Chantal nie przepada za psami. Piesek tej dziewczyny wlazł na kolana Philippe'a i siedział tam bardzo zadowolony.

– A ta dziewczyna?

– Była głośna. Opowiedziała sprośną historyjkę o tym, jak poprzedniego wieczoru striptizerka zatańczyła dla niej taniec erotyczny. Philippe spytał, czy lubi dziewczyny, a ona na to, że lubi dziewczyny i chłopaków, i obcokrajowców. Szczególnie obcokrajowców.

– Urocze.

– Chantal poprosiła, żebym odprowadził ją do domu. Myślała, że Philippe zaprotestuje i sam to zrobi. Ale był zbyt zajęty, bo ten okropny pies oblizywał mu palce.

– Odprowadziłeś ją do domu.

– Odprowadziłem ją prosto do łóżka. To był seks z zemsty. Potem Chantal poprosiła, żebym nic nie mówił Philippe'owi.

– Więc dlaczego z tobą spała?

– Chciała udowodnić, że nie obchodzi jej ta dziewczyna ani jej pies.

– Czy ona wie, że ją kochasz?

– Nie. Tak. Nie wiem, co czuję. Skąd ona ma wiedzieć, co ja czuję?

– Czasami kobiety są w tym lepsze niż mężczyźni.

– To prawda. Jeśli dziś wieczorem spotkam się z nią na drinka, powie mi, czy ją kocham. Ale jeśli pojadę z tobą do Prowansji, nigdy się nie dowiem.

– Zasługujesz na miłość – mówi Josie.

Nico patrzy na nią i jego twarz jest pełna nadziei.

– Spójrz – Josie pokazuje przed siebie. – Plan filmowy, o którym mówiła nam fryzjerka.

Przed nimi mnóstwo ludzi po obu stronach rzeki. Na Pont des Arts ustawiono kamery, reflektory i kilka namiotów na przeciwległym końcu mostu.

– Chodź, popatrzymy. – W głosie Josie słychać ekscytację.

– Dlaczego wszyscy są tak zafascynowani gwiazdami ekranu? – Nico zwalnia.

Josie bierze go za rękę i ciągnie.

– Och, daj spokój. Potrzebujemy gwiazd. Potrzebujemy dużego ekranu.

– Dlaczego? Dlaczego to jest ważniejsze od nas? Z powodu światła reflektorów i kamer?

– Ponieważ to jest trwalsze od nas. My znikniemy. Dzisiejszy dzień nad Sekwaną? Jutro go nie będzie. Ale być może tę scenę na Sekwanie ludzie będą oglądać wiele razy przez kolejne sto lat.

* * *

Po pogrzebie z dwiema jednakowymi trumnami Josie – po tym jak zostawiła uczniów, rodziców, znajomych oraz krewnych – pojechała do domu, spuściła rolety i weszła do łóżka. Wzięła pigułkę nasenną i gdzieś w środku pozbawionego marzeń snu rozległ się dzwonek telefonu.

Zanim zdążyła pomyśleć, sięgnęła do stolika nocnego i odebrała.

– Dobrze się czujesz? – To Whitney. Po miesiącach milczenia Whitney wróciła. Żonaty kochanek odszedł.

– Nie mogę teraz rozmawiać, Whitney. Śpię.

– Nie mów. Słuchaj.

– Nie chcę słuchać.

– Tak będzie lepiej…

– Spieprzaj, Whitney.

– Nie chodzi mi o jego śmierć. To tragedia. I jego syn. Nie mogę w to uwierzyć.

Josie odłożyła słuchawkę. W ustach jej zaschło, a szklanka przy łóżku była już pusta. Z trudem usiadła i zmusiła się do wstania. Spociła się. Zrzuciła ubrania i kiedy jej wzrok napotkał lustro, zobaczyła swoje ciało, ciało, które tyle razy wielbił Simon. Odwróciła się, znalazła czystą piżamę i ją założyła.

Poczłapała do kuchni i nalała sobie szklankę wody.

W oknie było widać światło późnego wieczoru i niebieskie irysy od ojca. Opadła na krzesło i wpatrywała się w kwiaty. Nagle za nimi, za oknem, dostrzegła jelenia. Zwierzę popatrzyło na nią i przekrzywiło na bok głowę. Potem się odwróciło i jednym wdzięcznym susem przeskoczyło strumyk, i zniknęło w lesie.

Chcę wyjechać, pomyślała Josie. Chcę uciec.

Podeszła do telefonu. Zadzwoniła do swojej szefowej, dyrektorki szkoły, do domu.

– Byłaś na pogrzebie? – spytała Stella. – Tyle ludzi przyjechało. Nie widziałam cię.

– Byłam.

– Biedna kobieta.

– Posłuchaj. To nie najlepszy moment. Ale chciałam ci powiedzieć, że nie wrócę w przyszłym roku.

– Porozmawiamy o tym w poniedziałek, Josie.

– Muszę to zrobić teraz. Dokończę zajęcia. Ale to wszystko.

– Co planujesz?

– Jeszcze nie wiem.

– Byłaś ostatnio bardzo rozkojarzona. Co się dzieje?

– Już nic.

Wymamrotała coś na do widzenia i się rozłączyła.

Wróciła do sypialni. Dobrze, że zapadł zmrok. W pokoju śmierdziało. Na chwilę przypomniała sobie zapach Simona i poczuła ból w piersi. Zakryła twarz ręką i wciągnęła własny kwaśnawy zapach.

Podeszła do toaletki i podniosła z niej kopertę. Zobaczyła rysunek wieży Eiffla. Na jej szczycie stały dwie malutkie postacie. Jedna długowłosa, druga bardzo wysoka, która w miejscu oczu miała zielone kropki. Dotknęła jej ust palcem.

Otworzyła kopertę. Za dwa i pół tygodnia pojedzie do Paryża. Nie wiedziała, co się zdarzy później. Ale tymczasem miała Paryż, żeby przetrwać.

Josie i Nico w końcu znajdują miejsce, z którego mogą oglądać plan filmowy. Nico zaprowadził ją na górny pokład pływającej restauracji przy nabrzeżu. To długa łódź z pięknymi tekowymi pokładami, leżakami i białymi parasolkami. Na końcu jest bar, przy którym tłoczą się ludzie, wszyscy z drinkami w dłoniach. Josie i Nico przeciskają się i opierają o barierkę, skąd mają niczym nie przesłonięty widok na most.

Koło nich kelner przed chwilą otworzył butelkę szampana, jakby to była premiera lub ogólnokrajowe wydarzenie wielkiej wagi. Rozlewa alkohol, a cała grupa – młodzi ludzie, być może urzędnicy, którzy uciekli z biura, żeby obejrzeć plan filmowy – stuka się kieliszkami.

– Nie jestem przekonany, że to sztuka, która przetrwa sto lat – mówi Nico.

Na środku Pont des Arts stoi łóżko. Zwykłe łóżko – rama i materac na drewnianym moście dla pieszych. Na łóżku, na białym prześcieradle, leży naga kobieta. Jest młoda i piękna – ogromne tłumy po obu stronach rzeki milczą, jakby w nabożnym skupieniu.

– Nie bądź zrzędą – szepcze Josie. Inni widzowie przyciskają ich do barierki. – Czy to nie Pascale

Duclaux? – Wskazuje na kobietę z burzą rudych włosów, przycupniętą na krześle na skraju planu. – Bardzo dobra reżyserka. To może być wielki artystyczny film.

– Łóżko na moście? Naga nimfa?

– I stary facet. Popatrz na niego.

Siwowłosy mężczyzna, również nagi, okrąża łóżko, nie spuszczając z oczu dziewczyny. Dana Hurley, amerykańska aktorka, stoi na brzegu mostu, oparta o barierkę, i przygląda im się. Jest ubrana. Naga para nie zwraca na nią uwagi.

Wtedy mężczyzna zatrzymuje się na moment, penis zwisa mu między nogami, aktor podnosi wzrok, jakby czegoś szukał. Wydaje się, że napotyka spojrzenie Josie, i na jego twarzy pojawia się półuśmiech.

Nie jest starszy od Simona, myśli Josie. Dlaczego mi więc przeszkadza, że okrąża tę dziewczynę?

Odwraca głowę, przerywając kontakt wzrokowy. Gdy patrzy ponownie, on wraca do spaceru wokół łóżka, jakby okręcał dziewczynę sznurem.

Po niebie przetacza się grzmot i nagle, w jednej chwili, leje deszcz. Wszyscy się odwracają i przepychają pod białe parasolki lub na dół, pod pokład. Josie stoi, patrząc na most, na łóżko, na dziewczynę i mężczyznę.

– Chodź – mówi Nico. – To wariactwo.

– Idź. Chcę popatrzeć.

– Nie ma na co. Będą czekać, aż przestanie padać.

Rzeczywiście, reżyserka krzyczy coś, czego stąd nie słychać, i wszyscy biegną do jednego z dwóch namiotów na końcu mostu.

Josie patrzy na Danę. Dana Hurley nie biegnie. Jest przemoczona, włosy przykleiły się jej do głowy. Idzie, jakby nie zwracała na to uwagi. Nie straci swojego mężczyzny z powodu młodej kobiety. Nie straci nikogo z powodu raka czy wypadku samolotowego. Jeśli zdarzy się coś strasznego, reżyser zawoła: „Cięcie!", a ona wolnym krokiem uda się do namiotu, gdzie usłużna asystentka przyniesie jej ręcznik i kieliszek szampana.

Josie zdaje sobie sprawę, że Nico miał rację – to nie jest wielka sztuka – nie ma w niej nic, co przetrwa dłużej niż dzień. Jedyne, co trwa, to miłość, nawet jeśli już odeszła.

– Proszę. Chodź do środka.

Odwraca się do niego. To najmilszy człowiek, jakiego ostatnio poznała. Przez chwilę czuje się wolna od żałoby. Nawet w tonie jego głosu pobrzmiewa nadzieja. A jednak nie może pojechać z nim do Prowansji. Piszą zakończenie do swojego filmu, bajkowe zakończenie, ale ona już nie wierzy w bajki.

– Muszę wrócić do hotelu.

– Teraz?

– Spakuję się – kłamie. To łatwiejsze niż pożegnanie. – Spotkamy się na dworcu o osiemnastej.

Jego twarz się rozpromienia. Rozlega się grzmot, przez moment błyskawica rozświetla szare niebo i cały Paryż lśni w jej blasku.

Riley i Philippe

Kiedy się budzi – Cole wtula się w jej plecy, Gabi trzyma malutkie stópki na jej twarzy, a Vic wyszedł o jakiejś nieludzkiej porze – podejmuje decyzję: spotka się z korepetytorem francuskiego w innym miejscu, gdziekolwiek, byle nie tu, w mieszkaniu. Zazwyczaj lekcje odbywają się przy kuchennym stole. Dziś musi wyjść. Odsuwa stópki Gabi pachnące pudrem i wygląda przez okno. Deszcz. Nienawidzi Paryża. To tajemnica, którą nosi w sobie niczym coś cuchnącego i gnijącego. Co jest z nią nie tak, do cholery? Wszyscy kochają to pieprzone miasto.

Riley mieszka w Paryżu od roku, wystarczająco długo – a przynajmniej tak wszyscy twierdzą – żeby nauczyć się mówić po francusku, poruszać metrem i odpowiednio ubierać. Tymczasem jej życie w tym mieście to jedna wielka porażka. Powinna mieć przyjaciół, przyrządzać suflety i znajdować w sobie dość energii, by kochać się z mężem w środku nocy. Tyle że wtedy są z nimi zawsze dzieci, a ona nie ma siły na nic, czy to w dzień, czy w nocy. Ale jest, jak ją zawsze nazywała matka, „twardą sztuką", nie mówi więc nikomu, że czuje się nieszczęśliwa. Poza tym kto by jej uwierzył? Przecież mieszka w Paryżu.

Oto co osiągnęła w ciągu roku w Paryżu:

1. Urodziła dziecko, co jest nie lada wyczynem, ponieważ nie zrozumiała ani słowa z tego, co lekarze i pielęgniarki wrzeszczeli do niej w klinice przez cały dzień i noc.

2. Przytyła szesnaście kilogramów, schudła jedenaście i nadal codziennie je *pain au chocolat*, choć nie może już tego usprawiedliwiać ciążowymi zachciankami.

3. Wie już, gdzie kupować paellę na bazarku niedaleko domu i podawać ją zaskoczonym znajomym z pracy Vica.

4. Straciła kontakt z większością przyjaciół z Nowego Jorku, ponieważ nie ma już ochoty wysyłać im e-maili wychwalających zalety życia ekspatki.

5. Przekonała – codziennie przekonuje – swoją matkę, żeby jej nie odwiedzała. Jeszcze nie.

6. Obserwuje, jak dwuipółletni Cole uczy się francuskiego, nawiązuje znajomości na placu zabaw, prowadzi ją do domu, gdy się zgubią, i mówi „jest dobrze, mamu" tak często, że Riley martwi się, iż któregoś dnia kogoś zamorduje, a syn tylko poklepie ją po ręku i powie „jest dobrze, mamu".

7. Utraciła miłość. Miała ją jeszcze, gdy się tu prze-prowadzili i przez kilka pierwszych tygodni – podczas gdy ona i Vic rozpakowywali talerze, książki i zabawki Cole'a – ale gdzieś ją położyła i od tego czasu nie może znaleźć.

Riley próbuje wyjść z łóżka, nie budząc dzieci, ale przywierają do niej jak winorośl – zabierz pień i pędy opadną na ziemię. W jednej chwili Cole zadaje pyta-nia: „Gdzie jest tatu?", „Co dziś robimy?", „Dlacze-mu deszcz, dlaczemu deszcz?", a Gabi zanosi się tym jękliwym, budzącym litość płaczem, który prawdo-podobnie oznacza, że znowu ma zapalenie ucha.

Riley bierze córeczkę w ramiona, opada na fotel, rozpina górę piżamy i przystawia dziecko do piersi. Oddychaj, mówi do siebie. Karmienie piersią to jedy-na rzecz, którą uwielbia do tego stopnia, że robi to za często. Wie, co radzą w poradnikach na temat regular-nego karmienia, ale nie dba o to. Pragnie tylko jedne-go: usiąść w cytrynowożółtym wyściełanym fotelu, tak samo brzydkim jak reszta niedobranych mebli w tym mieszkaniu, poczuć usta Gabi przysysające się do jej piersi i nic nie robić.

Ponieważ za minutę znowu będzie w ruchu.

Zadzwoni do Philippe'a i powie, żeby spotkali się w kawiarni.

Zadzwoni po Fadwę czy Fawad, czy Fadul z dołu, żeby posiedziała z dziećmi. Nie, dziś dzień szkolny. Dziewczyny nie będzie w domu. Poprosi jej matkę, ale

ta kobieta nie mówi po angielsku. „Siedzieć, dziecko" –
jak w szaradzie mimicznej, pokaże na dziecko, a potem
usiądzie w fotelu. To idiotyczne. W języku arabskim
opieka nad dzieckiem może nie mieć nic wspólnego
z siedzeniem.

Oddychaj, mówi do siebie.

– Dlaczemu deszcz, dlaczemu deszcz, dlaczemu
deszcz. – Zamieniło się to w monotonny zaśpiew równie denerwujący jak syrena policyjna, a Cole biega po
domu, jakby się paliło.

Riley patrzy na zegarek. Siódma piętnaście. Gdzie
do cholery Vic poszedł tak wcześnie?

Pokłócili się zeszłego wieczoru – o tej jedynej porze,
którą na ogół spędzali wspólnie – zanim wsunęli się
otępiali i wyczerpani pod kołdrę.

– Myślisz, że mnie się takie życie podoba? Myślisz,
że chcę pracować dniami i nocami?

– Tak – powiedziała Riley.

– To idiotyczne – warknął Vic. – Muszę ogarnąć
ekipę z czterech różnych krajów, a większość z nich się
nienawidzi. Sam ledwie rozumiem połowę z tego, co
do mnie mówią. Nie uważasz, że wolałbym raczej budować zamki z piasku w parku przy placu Wogezów?

Stał w łazience w spodniach od piżamy, z gołym
brzuchem, który zrobił się miękki i blady. Dziobał
powietrze szczoteczką do zębów niczym jakiś zawzięty
łazienkowy wojownik. Riley popatrzyła na niego i pomyślała: jest dokładnie na odwrót, niż mówisz. Uwiel-

biasz być grubą rybą, dzięki której funkcjonuje międzynarodowa ekipa. Nienawidzisz piasku.

– Weź się w garść, Riley – powiedział, wypluwając pianę do umywalki.

Kiedy zaczął nosić spodnie od piżamy? Przez chwilę Riley ma ochotę podejść do Vica, zsunąć mu te spodnie, objąć swojego nagiego męża rękoma i nogami i wyszeptać: „Wróć do mnie". Ale on już przecisnął się koło niej i poszedł do kuchni po kolejny kawałek brownie z paczki, którą jej matka przysłała kilka dni temu.

Riley wącha czubek głowy Gabrielle (to idealny dziecięcy zapach) i przypomina sobie o oddychaniu.

Rozbrzmiewa telefon. Kobieta podskakuje i pierś wypada z ust córeczki. Ona krzyczy, a dziecko płacze. Ale telefon przestał dzwonić. Do pokoju wchodzi Cole ze słuchawką. Uśmiecha się.

– Babu.

Nigdy wcześniej nie odbierał telefonu. Jest zaskoczona – synek wkrótce założy krawat i wyjdzie, żeby na siódmą rano zdążyć do pracy jak inni kompetentni ludzie w tym domu.

– Mamo? – Szybko liczy. – Na Florydzie jest w tej chwili pierwsza w nocy.

Matka płacze, a raczej łapie powietrze, usiłując powstrzymać łkanie.

– Co się stało?

Nie jest na tyle sentymentalna, żeby ronić łzy, ponieważ jej wnuk po raz pierwszy odebrał telefon.

– Mamo?

– Nie chcę cię obciążać…

– Czym?

– Nie chciałam ci nawet mówić, że miałam testy…

Riley wie już wszystko. Jej ojciec dawno zmarł na raka i teraz wydaje jej się, że każdy, kto ciężko zachoruje, też zostanie pokonany przez tę chorobę. W telewizji ludzie zdrowieją; w prawdziwym życiu umierają. Riley płacze bezgłośnie – nieprzerwany strumień leje się po jej twarzy.

– Mamu? – Cole jest zaniepokojony.

– Mamo? – pyta Riley.

– Mamu?

– Cicho, kochanie. Nic mi nie jest – szepcze Riley. A może to jej matka szepcze do niej. Zbyt mocno ściska dziecko.

– Jakie testy? – w końcu pyta.

– Nowotwór jajnika.

– Powinnaś była mi powiedzieć.

– Mówię ci.

– Wracam do domu.

– Nie wracasz.

– Mamo.

– Mamu? – Cole klepie ją po ramieniu. Riley patrzy w dół. Gabi wisi jedną nogą na jej kolanach, bliska upadku. Jak zdołała złapać jej stopę? I dlaczego dziecko śmieje się, jakby to była jakaś zabawa?

– Przepraszam, słonko. – Riley wciąga Gabi na kolana, gdzie jest bezpiecznie. Ale to złudne. Gabi wymiotuje na jej kolana.

– Mamo, oddzwonię. – I rozłącza się.

Trzyma Gabi w górze. Na spodniach od piżamy ma kałużę wymiotów. A Cole klepie ją po ramieniu. – Jest dobrze, mamu.

Zaraz posprząta i oddzwoni do matki.

Zaraz Cole znajdzie w telewizji francuską kreskówkę i będzie ją z przyjemnością oglądał, jakby rozumiał każde słowo z tego cholernego języka.

Zaraz zadzwoni do Vica i spyta, dlaczego zwołał śniadaniowe spotkanie, skoro zeszłego wieczoru miał kolacyjne spotkanie, a dzisiejszego kolejne.

Zaraz zadzwoni do wszystkich pediatrów podanych w przewodniku, który dał jej pośrednik handlu nieruchomościami, i spyta każdą przemądrzałą recepcjonistkę: *„Parlez-vous anglais?"*, aż trafi na kogoś, kto zna język angielski i umówi się na wizytę, żeby specjalista obejrzał uszy Gabi.

Zaraz przestanie padać.

Zaraz spotka się z Philippe'em.

W kawiarni Riley osuwa się na krzesło – przestało na chwilę padać, ale ona wystarczająco dobrze zna Paryż, by wiedzieć, że nie potrwa to długo.

Jest zdziwiona, bo już tyle udało się jej zrobić. Zadzwoniła do mamy, ale ta powiedziała jej, że idzie spać – na Florydzie było wpół do drugiej i musiała się położyć, żeby nie wyglądać rano jak potwór. Riley przekonała kobietę z dołu, żeby przypilnowała dzieci.

Znalazła czyste ciuchy – niemal na nią pasowały. Jeszcze pięć kilo i wróci do normy, ale nie zrezygnuje z *pain au chocolat*. No i jest problem z ogromnymi, pełnymi mleka piersiami. *Tant pis*. Nauczyła się tego określenia: o jakże mi cholernie przykro! Więc koszulka opina jej biust, a dżinsy tyłek. *Tant pis*, Victor.

Przyszła wcześnie. Otwiera zeszyt i patrzy na notatki z poprzedniej lekcji. Słowa zamazują się przed oczami. Kiedyś była niegłupia. Kiedyś umiała prowadzić długie rozmowy z inteligentnymi ludźmi o polityce, sztuce i nawet o tym, dlaczego jej sąsiadka z mieszkania 3B śpiewa w środku nocy.

Teraz albo milczy, albo mówi do malutkich dzieci. W każdym razie zauważyła, że jej inteligencja ucierpiała. Trudno dyskutować o globalnym ociepleniu, kiedy się klnie.

A Philippe nie mówi do niej po angielsku. Z pewnością potrafi – ma to europejskie *je ne sais quoi*, nieokreślone „coś", które zazwyczaj oznacza: „Znam sześć języków. I trochę japońskiego".

Uważa, że skoro ona musi mówić po francusku, to tak będzie. Tymczasem Riley siedzi jak trusia, jak jedna z tych płochliwych dziewczyn w szkole, które nigdy nie podnosiły ręki. Chce krzyczeć: „Jestem ulubienicą nauczyciela. Mam tyle do powiedzenia, że nie można mnie uciszyć!". Ale nie może nic powiedzieć.

Jej cudowna kariera, którą porzuciła trzy tygodnie przed urodzeniem Cole'a – choć już nie pamięta dlaczego – zmuszała ją do zajmowania się PR w sytuacjach kryzysowych w wielkich korporacjach. Notowania spadają – ja coś wymyślę! Dyrektor przyłapany w męskiej toalecie z gońcem? – dajcie mi sekundę i zaraz wytłumaczę, dlaczego to przynosi korzyści firmie! Ale teraz nie jest nawet w stanie zamienić własnego życia w dobrą historię – ponieważ brakuje jej do tego słów. *Je suis lost.* Jestem zagubiona.

Podchodzi kelner i zadaje jej pytanie, na które Riley potrafi odpowiedzieć.

– *Café, s'il vous plaît.*

Potem on mówi coś jeszcze, a ona potakuje. Prawdopodobnie przyniesie jej talerz świńskich nóżek do kawy i nie będzie mogła się poskarżyć, ponieważ brakuje jej słów.

Pół roku temu Cole przechodził trudny okres. Jej amerykańskie koleżanki mamuśki powiedziały: „To etap dwulatka terrorysty, nie martw się, minie". Wściekał się – ciskał przedmiotami albo sam się rzucał na podłogę, zwykle w miejscach publicznych. Ona i Vic znaleźli pomocne słowa: „Wyraź to". I w cudowny sposób, gdy Cole nauczył się pierwszych słów, napady złości ustały. Potrafił powiedzieć „chjupki", „Tubiś", „Sinka Peppa" czy „zła mama", a oni potakiwali i dawali mu to, czego potrzebował. („Zła mama" oznaczało, że tata ma go położyć spać). Kiedy Riley stoi na środku targu Les Enfants Rouges i kobieta sprzedająca sery mówi coś do niej po francusku z prędkością karabinu maszynowego, ona zastanawia się, czy nie rzucić się na ziemię, wierzgając nogami. Wyraź to! Ale nie ma słów.

Kelner wraca z kawą i bez świńskich nóżek. Riley parzy sobie język pierwszym łykiem. To bez znaczenia, myśli. Ten język i tak nie jest jej potrzebny. Boli ją całe ciało. Przestała płakać i obiecała matce, że nie będzie dramatyzować. To tylko rak, na litość boską. Teraz każdy ma raka. Jej matka nadaje nowe znaczenie określeniu „twarda sztuka", a Riley „beksa-lala". „Do roboty, dzień nie będzie na ciebie czekał!", nakazała jej matka. To jest jej dzień. Do roboty!

Rozgląda się dokoła. Kawiarnia jest zatłoczona, choć to dopiero późny ranek. Czy Vic jest jedyną osobą, która w tym mieście chodzi do pracy? Wszyscy pozostali chyba siedzą całymi dniami w kawiarniach, piją niekończące się espresso, a potem przerzucają się na wino. Wszyscy są nienagannie ubrani, jakby mieli potem iść do biura albo na premierę filmową. Jedna z kobiet ma obcisły kostiumik ze wzorem w lamparcie cętki i dziesięciocentymetrowe szpilki. Pewnie idzie odebrać dzieci i zabierze je do parku, myśli Riley.

Otwierają się drzwi i wpada Philippe.

Jest wysoki i patykowaty, ma urodę zmęczonej gwiazdy rocka. Za dużo narkotyków i ciężkich nocy. Pasuje mu to. Włosy zawsze opadają mu na oczy i przez większą część zajęć Riley wyobraża sobie prostą czynność: wyciąga dłoń i chowa te włosy za ucho. Dziś są jednak nieco tłuste. Może lepiej skupić się na zajęciach.

– *Je suis désolé*, Przepraszam – mówi zdyszany. Pachnie papierosami, kawą i czymś innym – seksem? Ma wymięte ubranie – czyżby przybiegł tu z łóżka swojej dziewczyny?

Riley uśmiecha się do niego. Mogłaby powiedzieć na przykład: „Nie ma problemu" albo: „Co to za piękny zapach?", ale brakuje jej słów.

Gdy wcześniej rozmawiali przez telefon, zaczęła mówić po angielsku. *„En français"*, napomniał ją. Więc podała mu nazwę i adres kawiarni oraz godzinę. Czuła się nieco jak szpieg przekazujący tylko niezbędne informacje. Nie dla niej te pogaduszki. Planuje międzynarodową intrygę!

– *Bon* – mówi Philippe, rozsiadając się naprzeciwko niej. Wyciąga książki ze swojej mocno sfatygowanej skórzanej torby, składa zamówienie u kelnera, który mu coś odpowiada, a potem patrzy na nią i się uśmiecha.

Ona odwzajemnia uśmiech.

On zadaje pytanie.

Ona się uśmiecha.

On potrząsa głową, uwalniając ten kosmyk. Ona odwraca wzrok.

– *Bon* – powtarza. Jednak nie jest dobrze. Nawet kawa parzy język.

– Dobra, posłuchaj – Riley mówi po angielsku. – Może spróbujemy inaczej. Trochę się poznamy, znajdziemy coś, o czym oboje lubimy rozmawiać – bo ja nie wiem nic o tobie – a potem, nie wiem, pogadamy o tym. Po angielsku. I po jakimś czasie w końcu zacznę mówić po francusku, ponieważ to będzie tak interesujące, że te francuskie słowa wcisną się do mojego małego mózgu i wyrzucę je z siebie. Co ty na to?

– *En français.* – Uśmiecha się jednak. Albo jest miły, albo zrozumiał każde słowo.

To kolejna rzecz. Riley nie wie, jak tu rozszyfrować ludzi. W Stanach miała wyczulone ucho – potrafiła rozpoznać, kto zasługuje na dalszą znajomość, po tym, jak dana osoba mówiła. Zależało to od tego, czy była dowcipna i błyskotliwa, spostrzegawcza, uszczypliwa i kpiarska. Znalazła najlepszą przyjaciółkę, bo kobieta używała nadzwyczajnych metafor, wymyślając je na poczekaniu. Zaczęła chodzić z chłopakiem, który dociął profesorowi socjologii za fircykowate maniery. Wybrała sobie tego, a nie innego męża, ponieważ był pierwszym facetem, który wygrał z nią w scrabble. Wyobraża sobie scrabble z Philippe'em. Jak często użyłaby słowa *bon*?

Co tam słowa – straciła umiejętność czytania tropów kulturowych. Koszula Philippe'a jest fajna czy dziwaczna? Jakby się trochę błyszczała – w Nowym Jorku to by nie przeszło. I nosi kolczyk, który wygląda jak krzyżyk albo X. To coś oznacza? Czy on jest czarujący, czy odrażający? Bez znaczenia. Lubi na niego patrzeć. Jest przystojny, a to działa w każdym języku.

Mężczyzna otwiera książkę na stronie, na której jest obrazek domu. Riley lubi obrazki. Rozumie je. Czuje się jak Cole, gdy tatu mu czyta. Jeśli Philippe ostatecznie przyjmie taki styl nauczania, to będzie potrzebowała kocysia i podusi.

Philippe milknie i wskazuje palcem łóżko, gdyż pojawił się obrazek przedstawiający sypialnię. Tak – ma ochotę powiedzieć Riley – chodźmy!

Zamiast tego mówi: „*lit*". Niesamowite. Kiedy potrzebuje, słowa do niej przychodzą. Ważne słowa.

– *Le lit* – poprawia Philippe.

Kogo to do cholery obchodzi? Rodzaj męski, żeński? Kiedy rewolucja płciowa przyjdzie do Francji? A może to łóżko transwestyta? Riley podnosi wzrok. Philippe się jej przygląda. Dlaczego ona się tak głupkowato szczerzy na widok łóżka? Za cholerę mu tego nie wytłumaczy.

– *Où est le lit?*, Gdzie jest łóżko? – pyta go.

– *Dans la chambre*, W pokoju.

– *Où est la chambre?*

Patrzy na nią. Czy jest zadowolony, dlatego że prowadzą tę infantylną rozmowę, a może dlatego, że mówią o seksie?

Nikt nic nie mówi o seksie, napomina się Riley. To tylko dochodzący do niej zapach.

– *Dans la maison*, W domu – mówi Philippe.

– Gdzie jest twój *maison?*

– *En francais.*

– Wiem, że we Francji. Ale gdzie we Francji?

Kręci głową. Ale nadal się uśmiecha. Nie zapiął kilku górnych guzików koszuli. Widać, że ma chłopięcą klatkę piersiową, pozbawioną włosów i chudą.

Nigdy nie zdradziła Vica. Kiedyś miała ochotę na faceta, który pracował w dziale graficznym jej firmy PR, i powiedziała o tym mężowi, a on przyznał się, że podobała mu się kobieta, która pracowała w dziale finansowym jego firmy. I tyle. Oko za oko, cycki za tyłek. No, miała nadzieję, że żadnych cycków tam nie było. Ona na pewno nie oglądała tyłka grafika.

Czy Vic ją teraz zdradza? Czy naprawdę spotyka się z nudnymi francuskimi biznesmenami o dziwnych porach dnia i nocy? Spytała go kiedyś o to – w połowie kolacji we dwoje – a on odparł: „Mój Boże, Riley. Czy nie możemy spędzić choć jednego miłego wieczoru?".

Nagle wyobraziła sobie siebie jako sekutnicę, ten typ kobiety, na który mąż skarży się kolegom z pracy. Czyż kilka lat temu nie była syreną, którą Vic się chwalił? „Moja żona kocha seks", powiedział kiedyś ich przyjacielowi. „Ty pieprzony farciarzu", odpowiedział tamten. Zawsze kiedy kończyli się kochać, Riley szeptała Vicowi do ucha: „Ty pieprzony farciarzu". A on zasypiał z uśmiechem.

Od dawna nie widziała tego uśmiechu na jego twarzy.

– *J'habite près du Centre Beaubourg* – mówi Philippe.

Zrozumiała go! Centrum Pompidou. Tylko Francuzi nazywają je tak jak on. Pamięta – stała na najwyższym piętrze muzeum, patrzyła na dachy Paryża i myślała: wszyscy inni mają cudowne życie. Tylko popatrz. Czarujące mieszkania na poddaszu, seks w pojedynczym łóżku, zapachy *bouillabaisse*, zupy rybnej, i haszyszu unoszące się w powietrzu.

Teraz już wie: Philippe jest jednym z tych ludzi.

Ja też kiedyś wiodłam cudownie życie, chce powiedzieć. Przypomina sobie pożegnalne przyjęcie, które jej przyjaciele wydali kilka tygodni przed ich wyprowadzką do Paryża. Ona i Vic mieli takie same berety i pasiaste koszulki (jej była naciągnięta na brzuch ciążowy), a w połowie imprezy odbył się pojedynek na bagietki. Dorosłe dzieci wyruszające w wielką, wspaniałą podróż.

„Nie będziesz tam samotna?", zapytał ją jeden ze znajomych. „Nie z Vikiem, Cole'em i małą Panną Wiercioszką. Poza tym to Paryż".

Atmosfera cudowności topniała. Nawet wczorajszy dzień był lepszy od dzisiejszego. Wczoraj jej matka nie miała nowotworu. Riley zagubiła się w chaosie myśli, a tymczasem Philippe zadał pytanie.

Riley uśmiecha się.

On powtarza pytanie.

Ona kręci przecząco głową.

– *No comprendo.*

– *Je ne comprends pas* – poprawia ją.

Nawet nie próbuje mu wyjaśniać, że to angielskie wyrażenie, no, nie całkiem angielskie, ale tak mówi każdy Amerykanin, chociaż to po hiszpańsku.

– Dokładnie. Tak jak powiedziałeś.

Vic zna francuski. Posługuje się nim tak dobrze, że teraz jest Victorem. Mówi, że Francuzi nie używają zdrobnień. Le Victor. Tak go nazywa, gdy jest naprawdę wkurzona. „Przyjdziesz do domu na kolację, Le Victor?" Na co on zwykle odpowiada: „Nie". Kiedyś protestował: „Nie nazywaj mnie tak". Ale ostatnio przestał. „Nie" załatwia wszystko – to wielofunkcyjne słowo. Po francusku brzmi tak samo jak po angielsku, choć dodają do niego zbędną literę na końcu. *Non!* Nie przyjdę na kolację!

Ale Riley to Riley w każdym języku. „Jak ja mam się teraz nazywać? – spytała Le Victora. – Może Wkurzona, AllRiledUp?" „Sprytnie", stwierdził.

Oczywiście on mówi na Gabi Gabrielle, co jest jej prawdziwym imieniem, ale Riley nie ma najmniejszego zamiaru mówić do córki imieniem dłuższym niż ona sama. Cole to Cole, to Cole, to Cole. Bogu dzięki. Czy ktoś nazywa Philippe'a Phil? Może w łóżku? Pocałuj mnie, mój Filistynie. Czasami seks coś z człowieka wydobywa, prawda?

Wracają więc do *le lit* i *la lampe* i wszystkiego *de la chambre*. Riley poznaje kilka nowych słów, wpatrując się w książkę. Potem wyobraża sobie swoją matkę na łóżku z obrazka. Kiedy była mała, wdrapywała się do maminego łóżka, gdzie czytały, leżąc obok siebie i stykając się ramionami, w bawełnianych piżamach. Mama często nuciła, ale nie chciała się do tego przyznać. A teraz Riley robi to samo, kąpiąc Cole'a. To ta sama melodia. Jak spytać matkę, co to za melodia, skoro ta twierdzi, że nigdy nie nuci? Riley czuje jakąś naglącą potrzebę i wpatruje się intensywnie w narysowane łóżko. Obrazek zaczyna się zacierać, aż znika, a na kartkę spada cholerna łza.

Philippe coś mówi, na jego uroczej twarzy widać autentyczne zaniepokojenie, a Riley wyciera oczy i kręci głową.

– *Rien, rien*. – Zadziwiające, jak słowa pojawiają się, gdy ich potrzebuje.

Ale Philippe zaczyna się pakować. Mężczyźni i łzy. Spodziewa się, że on wybiegnie i ją zostawi, ale w ostatniej chwili, posługując się gestami, pokazuje, żeby szła za nim.

Wszystko jedno.

Stoją przed kawiarnią, na środku Marais, i patrzą na siebie.

Philippe coś mówi.

Riley uśmiecha się.

– *Bon* – mówi on.

W końcu prowadzi ją pod rękę rue des Francs-Bourgeois.

Po raz pierwszy w ciągu tego roku Riley czuje się Francuzką. Idzie obok Francuza – i to na dodatek przystojnego – a zamiast wizyt u lekarzy, spacerów na plac zabaw i kupowania *pain au chocolat* jest tylko to: tajemnica. Nie ma pojęcia, dokąd idą. Porzuciła swoje życie i znalazła się we francuskiej powieści.

Mniejsza o to, że wygląda beznadziejnie amerykańsko. Zanim przeniosła się do Paryża, każdy mówił: „Tylko nie noś tam tenisówek". Zostawiła wszystkie. A moda szybko się zmieniła i wszystkie cholerne Francuzki noszą małe białe tenisówki. Ale nie chodzi o ubrania, tylko o piersi. Nikt we Francji nie ma tak dużego biustu. Usiłowała kupić nowy stanik i miała już dość sprzedawczyń przewracających oczami i ze smutkiem kręcących głową. No i jeszcze włosy: długie, kręcone i rozwichrzone, których nie jest w stanie poskromić żadna gumka czy spinka, ale je uwielbia. „Obetnij je", doradził Vic. „*Non!*", odpowiedziała.

Tak się jakoś stało, że zaczęła wyglądem przypominać gwiazdę porno – mnóstwo włosów, wysokie obcasy i ogromne piersi. W Nowym Jorku każdy by wiedział, że to żadna gwiazda, ponieważ jest inteligentna, zabawna, nosi modne ciuchy i ma swoje trampki. Ale tu, w Paryżu, prowokuje swoim wyglądem, jakby wysyłała sygnał: „Przeleć mnie!".

Może to właśnie planuje Philippe. Odsuwa myśli o matce – nie, mamo, nie zabieram cię teraz ze sobą! – i stuka obcasami, usiłując nadążyć za Philippe'em.

Niebo ciemnieje tak szybko, jakby nastąpiło pełne zaćmienie Słońca i nagle, z towarzyszeniem błyskawicy i grzmotu, wydaje się Riley, że słyszy krzyk Boga: „Natychmiast przestań myśleć o seksie!". Ulewa rozszalała się na dobre. Philippe ściska mocniej ramię swej uczennicy i prowadzi ją pod markizę narożnej restauracji. W ciągu sekundy pod tym malutkim daszkiem gromadzi się mnóstwo ludzi.

Tłumek wyraża głośno podziw, jakby Bóg był jakąś cholerną megagwiazdą. W ścisku, ledwie widząc ulicę, Riley domyśla się: ktoś jadł czosnkową owsiankę na śniadanie, inny ma czkawkę, a wszyscy podskakują przy kolejnym grzmocie. Riley czuje, jak jej serce bije gwałtownie – nie jest pewna, czy to z powodu gniewu niebios, czy dlatego, że ramię Philippe'a dotyka jej piersi. I choć raz nie musi mówić. Przecież widać: to szalejący żywioł. Nie ma potrzeby tego komentować. Wystarczy chłonąć.

Przypomina sobie biwak z Vikiem w Vermoncie – jeszcze przed urodzeniem dzieci, przed małżeństwem – gdy burza obudziła ich w środku nocy, tak mocno bijąc w namiot, że musiała to być nietypowa burza gradowa w środku lata. Wtedy Riley zaczęła się trząść, pewna, że za moment cienka tkanina ustąpi i zostaną ukamienowani tymi lodowymi bryłkami. Momentalnie rozpięli śpiwory, ściągnęli ubrania, a ich ciała uderzały o siebie w najbardziej gwałtownym seksie, jaki dotychczas uprawiali. Potem, kiedy burza przeszła, leżeli obok siebie ze splecionymi dłońmi, dysząc i wpatrując się w ciemności w dach namiotu. Nigdy o tym nie mówili, jakby to wspomnienie było czymś wstydliwym. Riley zastanawia się, co musiałoby się stać, by Vic do niej wrócił?

Uderza piorun i Riley przenosi się przez ocean z Vermontu do Paryża, od Vica do francuskiego korepetytora, od zapachu sosen do zapachu mokrej wełny. Deszcz przestaje padać równie gwałtownie, jak zaczął. Niebo jaśnieje. Ludzie się nie ruszają, jakby na coś czekali. Stoją w milczeniu. Riley ma wrażenie, że zaraz ktoś zawoła: „Bis!". Ale w końcu pierwsze osoby opuszczają ich małe zgromadzenie, potem następni i Philippe odsuwa ramię od jej piersi. Riley wiotczeje nieco – oczywiście nie jej biust, solidnie podtrzymywany przez amerykański stanik w rozmiarze 34 E, z fiszbinami i szerokimi ramiączkami – po prostu całe jej ciało rozluźniło się, trochę jak tuż po orgazmie. Koniec przedstawienia.

Philippe patrzy na nią, a ona czuje, że jest jej teraz bliższy, jakby coś ich łączyło. I ku jej zachwytowi on nic nie mówi. Bierze ją pod ramię i prowadzi dalej.

Na chodnikach pełno ludzi – wszyscy gdzieś się śpieszą – a jezdnie połyskują od słońca odbijającego się w kałużach. Riley myśli o Cole'u i jego nowych zielonych kaloszach z żabimi oczyma na czubkach – powinien biec na plac Wogezów, zamiast siedzieć przed telewizorem z matką Fadwy czy Fatah, czy Fadul. Zła mama! A dziś wieczorem, kiedy będzie chciał, żeby to tatu go położył spać, powie do niego: jesteśmy tylko ty i ja, kochanie.

Ale w tej chwili nie mam czasu na dzieci. Rozpoczynam paryską przygodę. Teraz liczę się tylko ja, ja, ja!

Ciekawe, że można się zagubić w mieście, rodzinie, małżeństwie. Jakie to dziwne, że nigdy nie czuła się samotna, gdy mieszkała sama przez te wszystkie lata w Nowym Jorku, a teraz, kiedy ma rodzinę, jest członkinią każdego pieprzonego stowarzyszenia ekspatów, jakie istnieje w Paryżu, każdej grupy anglojęzycznych matek, każdej grupy żon ekspatów, czuje się jak dziecko, które stoi przed szkołą, gdy wszyscy już wrócili do domu, a ją zapomniano odebrać.

Nie mówiła matce, że mąż wziął sobie urlop od ich małżeństwa i to na żądanie, jest rzadko w domu, ledwie jej dotyka, że ostatnim razem, gdy opowiedziała zabawną historię o wariatce, która nawrzeszczała na nią za to, że karmi piersią w parku, powiedział: „Może nie powinnaś już tego robić". Gdy Riley dowiedziała się, że jej pieszczotliwe przezwisko dla Vica, *coo-coo*, to coś, co Francuzi mówią do swoich niemowląt, powiedział: „Chyba nie powinnaś mnie już tak nazywać". Nie mówiła matce, że budzi się przerażona w środku nocy i trudno jej oddychać. Nic dziwnego, że wyobraziła sobie, iż nikt jej nie odbiera ze szkoły – jest oszustką i matka o tym wie. Kiedyś rozmawiały o wszystkim, a teraz od roku przekonuje ją, żeby nie przyjeżdżała do Paryża, i dziś okazuje się, że matka ma raka.

– *Comment?* – pyta Philippe.

Podnosi na niego wzrok. Coś powiedziała? W jakim języku? W języku rozżalenia?

– *Rien* – zapewnia go. – Moja matka nuci, kiedy się zamyśli, i najwyraźniej ja robię to samo.

– *En français.*

– Och, do cholery, zamknij się…

Philippe śmieje się. Przekleństwa to międzynarodowy język.

Przesuwa ręką po jej plecach i popycha ją przed sobą – na chodniku jest tak tłoczno, że nie mogą iść obok siebie – sterując nią niczym tancerz prowadzący partnerkę na parkiecie. Okropna z niej tancerka – nie wie, jak poddać się prowadzeniu partnera, albo nigdy nie tańczyła z takim, który potrafił prowadzić. Przed ślubem ona i Vic wzięli kilka lekcji tańca i szło im beznadziejnie: wpadali na siebie, skręcali w złą stronę, deptali sobie po stopach. Pewnej nocy upili się i tańczyli w pustym salonie swojego nowego mieszkania i nagle wszystko potrafili – byli Fredem i Ginger – wirowali, wyginali się w ekstazie. Tydzień później, na własnym weselu, przedreptali w niedźwiedzim uścisku swój pierwszy taniec, zbyt zawstydzeni, by próbować inaczej poruszać się do *merengue*, żywego tańca hiszpańskiego, na oczach tłumu. „Nie czuję twojego prowadzenia", wyszeptała Riley do Vica. „Czego ty chcesz, walca?", fuknął Vic. „Przewalcuj mnie, kochanie", wyszeptała mu tamtej nocy do ucha.

Teraz dłoń Philippe'a przytrzymuje ją w talii.

– *Nous sommes arrivés*, Jesteśmy na miejscu – oznajmia Philippe.

Riley rozgląda się wokół. Stoją na środku ulicy – ludzie idą w różne strony, trąbią samochody. Spogląda na Philippe'a, który patrzy na budynek, pochodzący prawdopodobnie z lat pięćdziesiątych i od tamtego czasu nieremontowany. Prawie wszystkie budowle w Paryżu to dzieła sztuki. Ten nie. Ma nieciekawą, pociemniałą fasadę i brudne okna. Kto mieszka w tej ruderze?

Najwyraźniej jej stylowy korepetytor, ponieważ wstukuje kod i otwiera drzwi frontowe. Stopy Riley zamierają bez ruchu. Słyszy chór głosów – Vic, mama, Cole, Gabi – wszystkie na nią krzyczą. Jest kamienowana słowami.

– Riley – mówi Philippe. Głosy cichną, a ona śpiesznie wchodzi przez drzwi. Nigdy nie była łatwa – a teraz sam dźwięk jej imienia w ustach tego mężczyzny zamienia ją w rozpustnicę.

W windzie śmierdzi brudnymi pieluchami i Riley usiłuje nie oddychać, jakby nie chciała wpuścić do swoich myśli Gabi. Skąd ma wiedzieć, czy opiekująca się Gabi kobieta zmieni jej pieluszkę? Kiedy ostatnim razem była w domu rodziców, pół roku temu, zostawiła małą z matką. Wrócili z Cole'em z plaży, a Gabi była przemoczona i brudna. „Sądziłam, że teraz robią lepsze pieluchy. – Matka niczym się nie przejęła. – Następnym razem ty zajmij się córeczką, a ja pójdę na plażę z tym brzdącem". Mama Riley woli Cole'a od Gabi i nigdy nie starała się tego ukryć.

Wstrzymywanie oddechu w windzie nie działa. Teraz ma w głowie Gabi, Cole'a i matkę. Idźcie stąd! – chce krzyczeć. – Nie ma dla was miejsca w tym łóżku!

Łóżko okazuje się kanapą, i to w dodatku niepościeloną. Philippe otwiera z rozmachem drzwi do swojego mieszkania i Riley natychmiast orientuje się, że popełniła potworny błąd. Nie ma nic romantycznego w nieudaczniku. A Philippe musi być nieudacznikiem – któż inny żyłby w takich warunkach? Jest groszkowa kanapa, na podłodze leżą puszki po piwie – dlaczego ktoś miałby pić piwo w kraju burgunda i bordeaux? Plakat Angeliny Jolie, gitara na środku podłogi – przynajmniej jakieś ślady kultury. Facet musiał brzdąkać na gitarze, a potem upuścił ją niczym worek ziemniaków.

Philippe rzuca kurtkę na podłogę i idzie do kuchni. Riley stoi, gotowa uciec. To łatwe, myśli. Odwrócić się, wyjść. Wysłać czek do szkoły językowej. Nigdy więcej już go nie zobaczyć.

Ale on wraca, niosąc dwa kieliszki szampana.

Riley upija łyk. Alkohol jest zwietrzały i ciepły, ale smakuje cudownie.

Spogląda na Philippe'a, a on pochyla się nad nią i długo całuje, co wiąże się z wymianą szampana z jego ust do jej. To odrażające. Riley niemal się dławi, ale wtedy Philippe wsuwa dłoń pod jej koszulkę. Od dawna nikt jej nie dotykał. Myśli pierzchają, a ciało topnieje.

Mężczyzna podnosi ją i niesie do łóżka. Upadają – potknął się o puszkę po piwie czy nagle jest dla niego za ciężka? – ze splątanymi nogami i rękami na wąską kanapę. Riley uderzyła się mocno w łokieć, ale Philippe całuje ją w szyję i ból znika w cieple rozchodzącym się po całym ciele. Riley szarpnięciami ściąga z niego ubranie. On nie może dać sobie rady z jednym z jej guzików, więc kobieta odpycha go i zrywa z siebie bluzkę. Philippe wydaje niski zwierzęcy odgłos na widok jej piersi i rzuca się na nią.

Philippe wsuwa dłoń w jej majtki, a ona skomle.

Riley gryzie go w szyję, a on stęka.

Jest mokra, mimo że od miesięcy uważała, iż po urodzeniu Gabi stała się oziębła.

Riley chwyta jego członek – kiedy zdjął spodnie? Co on ma tam na końcu? – Philippe jęczy.

Jego palec wciska się głęboko w nią, wargi błądzą po jej piersi, penis rośnie w jej dłoni – Riley dyszy, ale zagłusza to jego ciężki oddech przy jej uchu, i ten dźwięk sprawia, że oplata go nogami i wciąga w siebie, a potem wypycha. – Prezerwatywa – mówi.

– *Quoi?*

– Wszystko jedno. Po prostu ją załóż.

Philippe sięga za kanapę i oczywiście ma garść prezerwatyw, czy jak oni je tu nazywają, i w mgnieniu oka jego śliczny penis – tak, jest nieobrzezany i przepiękny – zostaje pokryty lateksem i unosi się nad nią, kołysze, jakby rozradowany tym, co go czeka, aż znajduje swój cel.

Oboje wzdychają – głębokim, długim, pełnym lubości westchnieniem.

Poddają się przyspieszonemu rytmowi, a w głowie Riley rozbrzmiewa melodia, którą jej babcia nauczyła jej matkę, melodia, którą matka nuciła, gdy ją kąpała, ubierała i prowadziła do szkoły – dziecięca rymowanka, rosyjska piosenka ludowa. I teraz, gdy Philippe uderza w nią członkiem, gryzie jej piersi, ciągnie za włosy, Riley płacze. Łzy spływają po policzkach, a Philippe je zlizuje. Jego ciało jest twarde, mięśnie są napięte, ruchy mocne. Riley przygląda mu się zadziwiona – to osiągnięcie sportowe, taki seks, to zejście w mrok, rytuał godowy dzikich zwierząt. Gdy on szczytuje, wydaje jakieś pohukiwanie – okrzyk kowboja, rodeo, wierzgający mustang – a potem opada na nią; ich ciała są śliskie od potu.

Do tej pory, kiedy uprawiała seks, miało to zawsze coś wspólnego z miłością, z poszukiwaniem miłości albo z końcem miłości. Teraz jest tylko seks.

Niesamowite. Na ileś minut Riley wyłączyła mózg, a teraz znowu myśli o miłości. Nie o miłości do Philippe'a – nie! Najchętniej wzięłaby prysznic, ubrała się i uciekła! Nie o miłości do Le Victora – nie! Miłość przepadła, tego jest pewna. Miłości nie można znaleźć, bez względu na to, jak bardzo się jej szuka we wszystkich zakamarkach ich głupiego, zatłoczonego meblami mieszkania. Nie o miłości do wszystkich dawnych chłopaków, którzy nie potrafili tak uprawiać seksu – Franklin ze swoim zbyt małym penisem, Luca – bzyku, bzyku i po krzyku, Terry i jego pulchne ciało, Johnny z obsesją na punkcie kochania się w środku nocy, Jesse i jego strach przed żeńskimi genitaliami. Myśli o swojej miłości do Paryża! Paryż. Miasto seksu. Miasto potajemnych romansów. Miasto przystojnych korepetytorów francuskiego w ich żałosnych mieszkaniach. Miasto, w którym *pain au chocolat* jedzone rano jest zaledwie pierwszym erotycznym doznaniem dnia. Miasto, w którym możesz przestać mówić na tak długo, żeby usłyszeć piosenkę, którą nuciła twoja matka.

W chwili gdy Riley przypomina sobie telefon od matki, Philippe przewraca ją na brzuch, przytrzymuje za rozłożone ręce, rozpycha kolanami nogi. Tym razem seks jest jeszcze ostrzejszy – w którymś momencie Philippe gryzie ją w ramię, napiera na nią tak mocno, że Riley czuje, jak się otwiera, rozdziera, rozwiera, rozpada. Po chwili on pada obok niej na łóżko. Riley wkłada dłonie pomiędzy nogi i doprowadza się do orgazmu, a on nie zamierza nic z tym zrobić. Przygląda się jej, a jego twarz wyraża zdumienie.

Riley znowu płacze. Tym razem za Vikiem, dawnym Vikiem, dawnym małżeństwem, miłością, która ulotniła się w Paryżu. Odsuwa się od Philippe'a i kuśtyka pod prysznic. Jasne, to dziura, to nora, ale w ogóle jej to nie przeszkadza. Myje się, płacze i znowu myje. Nuci. Gdy wraca do pokoju, on śpi. Riley znajduje swoje ubranie i je wkłada. Guzik oderwał się od koszulki – tkanina rozchyla się, odsłaniając jej brzuch. I co z tego? Jest sekskociakiem. Wychodzi, zamykając za sobą drzwi. Nie chce z nim rozmawiać. Poza tym nie zna języka francuskiego.

W drodze do domu mija młodą parę z małą dziewczynką – idą, trzymając się za ręce. Żeby Riley mogła przejść, mężczyzna puszcza dłoń dziecka, jak w dziecięcej grze *Most londyński wali się*. Riley ogląda się za nimi – dziewczynka radośnie podskakuje przed rodzicami, wiruje jej warkoczyk, a oni uśmiechnięci idą dalej.

Riley widzi, że wszystko, co kiedyś scalało związek jej i Vica – miłość, namiętność, rączki Cole'a – zniknęło. Wie, że zdradzenie męża nie zabiło miłości – ta i tak już wydawała ostatnie tchnienie. Nawet jeśli Vic nie dochowuje jej wierności, robi to, żeby wypełnić pustkę między nimi.

Riley idzie szybko ulicą, obcasy stukają o chodnik.

Dwadzieścia minut później jest w domu. Gabi śpi – z czystą pieluszką – a Cole gra w warcaby z mamą opiekunki. Riley płaci kobiecie dwa razy tyle, co normalnie, i kłania się zbyt wiele razy, odprowadzając ją do drzwi. Cole obejmuje rączkami nogę matki, jakby nie było jej całe lata.

– Zadzwońmy do babu – proponuje Riley.

– Babu! – powtarza entuzjastycznie Cole. Uwielbia babcię.

Na Florydzie jest wczesny ranek – matka pewnie czyta gazetę na werandzie z widokiem na pole golfowe – a w Paryżu popołudnie. Riley i Cole siedzą we wnęce jadalnej, wyglądając na podwórko. Mała dziewczynka, wnuczka dozorczyni, stoi na środku z szeroko otwartymi ustami.

– Otwórz okno – mówi Riley. – Wydaje mi się, że ona śpiewa.

Cole wspina się na krzesło i posłusznie wykonuje polecenie. Rozlega się skrzypnięcie odsuwanego okna i dziewczynka podnosi wzrok. Milknie, a w powietrzu unosi się jeszcze dźwięk piosenki. W ułamku sekundy wraca do śpiewu, wysokim, czystym głosem.

– Mamo – mówi Riley, gdy jej matka odbiera.

– Tylko nie dzwoń do mnie co dwie minuty, panno Zamartwiaczko.

– Po prostu chciałam z tobą porozmawiać.

– Czy jest tam mój ulubiony ludzik?

– Cole – Riley podaje mu słuchawkę. – Babcia chce z tobą rozmawiać.

– Babu?

Słucha, ale nawet na moment nie odrywa oczu od dziewczynki na podwórzu. W jednym uchu słyszy głos babci, a w drugim dziecięcą piosenkę. Na jego buzi pojawia się coraz szerszy uśmiech.

– Ja też cię kocham.

Podaje Riley słuchawkę.

– Czuję się dobrze – komunikuje natychmiast matka. – Zrobią mi operację, wytną to.

– Chemia. – Riley nie jest w stanie powiedzieć nic więcej.

– No to przejdę chemię. Nie będę pierwszą osobą na świecie.

– Co sądzi o tym doktor?

– Że wszyscy powinniśmy być tak twardzi, mając sześćdziesiąt cztery lata. Mówi to, co już wiem. Ja się nie poddaję.

– Dlaczego nie mam tego po tobie?

– Ależ masz. Kto inny pojechałby na drugi koniec świata z dwójką dzieci?

Riley rozgląda się po kuchni. To białe pomieszczenie wygląda tak, jakby mieszkali w nim obcy lub zakonnice.

– Jesteś jedyną osobą, z którą w ogóle rozmawiam.

– Nie rozmawiasz ze swoim mężem?

– Nie, mamo. Niewiele.

– Nigdy go nie ma. Kto zabiera swoją pannę młodą na drugi koniec świata i zostawia ją całkiem samą?

– Vic.

– Och, biedactwo.

Na szczęście Cole wygląda przez okno, więc nie widzi lejących się po twarzy Riley łez.

– Wracam do domu.

– Nie. Zostań tam, gdzie jesteś, i rozwiąż swoje problemy. Masz dwójkę dzieci. Nie możesz lecieć przez pół świata za każdym razem, gdy się trochę poprztykasz z mężem.

– To nie chodzi o poprztykanie się. I nie przez pół świata, tylko przez ocean. Lot trwa jedynie sześć godzin. – Matka Riley nigdy nie wyjechała poza Stany, nie wskoczyła do samolotu tuż przed odlotem, nigdy na deser nie podała serów.

– Zwróć uwagę panu międzynarodowemu biznesmenowi, że ma dbać o żonę. Przekaż mu, że tak powiedziała teściowa.

– To nie takie proste, mamo.

– Nic nie jest proste, Riley. Nikt nigdy nie mówił, że życie jest proste. Wy, dzieci…

– Nie zaczynaj znowu. – Riley nienawidzi tych kazań „wy, dzieci". Zresztą nikt jej nie podawał życia na srebrnej tacy.

Milczenie w słuchawce zaczyna niepokoić Riley. Nigdy nie musiała czekać, aż matka będzie miała coś do powiedzenia. Przeciwnie, normalnie gada jak najęta.

– Twój ojciec jadł kolację z rodziną każdego wieczoru – mówi wreszcie.

Riley słyszy to od lat i choć wie, że to nieprawda – pracował do późna i ona zwykle zjadała parę godzin przed jego przyjściem – uwielbia wspomnienie ojca wchodzącego co wieczór do domu. Przy drzwiach wejściowych zdejmował marynarkę od garnituru i zarzucał ją na ramiona Riley. Wkładał jej swój kapelusz. Czuła zapach jego wody po goleniu, potu oraz dusznego powietrza biura księgowego, gdy marynarka ciężko wisiała na jej małych ramionach.

– Brakuje mi taty. – Riley rzadko mówi takie rzeczy matce. Przypomina sobie jej długą, dziesięcioletnią żałobę po śmierci taty – przez cały ten czas martwiła się, że mama szybko się zestarzeje. Tymczasem ona nagle przeprowadziła się na Florydę i wymyśliła sobie nowe życie – nic nie mogło jej pokonać. U Riley poczucie straty przycichło, jakby teraz, jako dorosła, nie miała prawa tak tęsknić za tatusiem.

– Mnie też go brakuje – mówi matka. – Tak jest cicho, kiedy mieszka się samemu. Zostawiam włączony telewizor, żeby tylko przerwać tę ciszę.

– Kto cię zabierze na operację?

Nie ma pojęcia, czy ma jakiegoś partnera – choć w jej życiu pojawiają się mężczyźni. Jest Art, trener na siłowni, który może być gejem, ale jeśli nie jest, to bierz go, mamo! I jest Stich, robotnik, który wpada na kolację kilka razy w tygodniu, choć zakończono już roboty w jej budynku. A z tego, co ostatnio słyszała, jakiś Al pływa z nią każdego ranka w basenie.

– Wally – mówi w końcu mama.

– Kim jest Wally?

– Oj, mówiłam ci.

– Nie przypominam sobie tego imienia.

– Nie ma znaczenia. Tylko mnie podwozi do szpitala. Nic mi nie będzie.

– Co nie ma znaczenia?

– To, kim jest. Tylko mnie podwozi.

– Czy on wie, że tylko o to chodzi?

Philippe też był potrzebny tylko na chwilę, myśli. Dlaczego nie słuchałam matki lata temu?

– Zabierz mojego księcia do fikuśnej piekarni. Powiedz mu, że babcia chce, żeby zjadł jedno z tych francuskich ciastek, o których ciągle mówisz.

Riley kiwa głową, mamrocze coś i odkłada słuchawkę. Cole nadal jest oczarowany małą śpiewaczką. Riley
wygląda przez okno.

Dziewczynka na podwórzu właśnie kończy piosenkę. Kłania się, posyła całusa, a Cole go łapie. Sztuczki
tej nauczyła go babcia pół roku temu. Jest zakochany,
myśli Riley.

– Babcia chce ci kupić *pain au chocolat* – mówi Riley.

– Jak? Babu Floryda.

– Poprosiła mnie, żebym ci jedno kupiła. Kiedy
Gabi się obudzi, pójdziemy na spacer, kochanie.

– Mama płacze. – Cole wreszcie na nią patrzy.

– To katar. Musiałam go gdzieś złapać. – I idzie po
chusteczki do kuchni.

Riley postanawia wybrać się na wyprawę – wkłada Gabi do nosidełka, a synka trzyma za rączkę. Cel:
znaleźć najlepsze cholerne *pain au chocolat* w całym
Paryżu. Na ostatnim spotkaniu grupy matek ekspatek –
kolejne przygnębiające doznanie – wszyscy wymieniali
się adresami ulubionych parków, sklepów z odzieżą
dziecięcą, restauracji przyjaznych dzieciom, pediatrów
i oczywiście ciastkarni. Riley już sobie wyobraża, jak
na następnym spotkaniu rozgłasza wiadomość: najlepszy korepetytor na południowe bzykanko to Philippe!

Wybiera numer jeden, *numéro un*, na liście ciastkarni. Przestało padać, a ona musi przepłoszyć z psychiki
duchy. Do późnego wieczoru, kiedy to Le Victor wpełz-
nie do łóżka, powinna ustalić, co dalej z jej życiem.

Dzwoni komórka.

– Halo?

– Riley?

– Philippe? – Jego głos jest inny, słodki.

– Spotkajmy się na kieliszek wina.

– Mówisz po angielsku.

– Lekcja francuskiego się skończyła.

– Ty znasz angielski.

– Niezbyt dobrze. Ale twój francuski – jak to mówicie – ssie.

Zdecydowanie nie ma czarującego akcentu Maurice'a Chevaliera, mówi jakimś takim wysokim i jękliwym tonem. Kiedy używa angielskiego, nie jest seksowny. Mało tego, po angielsku to Philip. W życiu nie bzykałaby się z Philipem.

– Mam dzieci, Philippe. Prawdziwe życie i takie tam.

– Och.

Myśli o jego nieobrzezanym penisie kołyszącym się nad nią. Niemal wchodzi na ulicę na czerwonym świetle, ale Cole krzyczy: *maman!* Dziwne. Na ulicy Cole zwraca się do niej *maman*. W domu – mamu. Jakim cudem dwulatek jest w stanie się w tym połapać?

– Przepraszam, kochanie.

– Nie musisz przepraszać – mówi Philippe.

– Nie mówiłam…

– Przyprowadź dzieci. Na nabrzeżu kręcą film. Jest tu jakaś słynna amerykańska aktorka. Możemy popatrzeć – wszyscy razem.

Szybki seks, a on już zachowuje się, jakby zakładał nową rodzinę, myśli Riley. Trzeba rozbroić tę bombę, zanim dojdzie do eksplozji.

– Słuchaj, Philippe…

– *T'es belle. T'es magnifique, chérie.*

– Dobrze. – Kręci głową. W jakimś odległym kraju jej dawni znajomi krzyczą: Żałosna idiotko! – Gdzie?

Podaje jej adres i szepcze coś po francusku. W jednej sekundzie znowu jest jej seksownym kochankiem.

Ale ona nie potrzebuje seksownego kochanka! Chce po prostu kogoś, kto będzie szedł obok niej po Paryżu, kogoś, kto ma więcej niż metr wzrostu.

Idzie z dziećmi ku najbliższemu zejściu do metra, gorączkowo kombinując, jak się z tego wyplątać.

Cole uwielbiał jeździć metrem, kiedyś ciągnął Riley ku zielonej bramie pełnej zawijasów, która zapraszała do skrytego w dole świata szybkich pociągów i migających tablic reklamowych. Przyglądał się ludziom – przesiadali się z wagonu do wagonu, wygłaszali mowy, grali na na gitarze, żonglowali piłeczkami – temu podziemnemu cyrkowi.

– Co on mówi, *maman*? – pytał, gdy bezdomny stawał na początku wagonu i opowiadał coś urzeczonej widowni.

– Nie wiem – odpowiadała mu uczciwie.

Potem jednak, gdy lepiej poznał francuski, zaczął rozumieć ich straszliwe opowieści: „Panie i panowie. Moja żona złamała nogę. W naszym mieszkaniu nie ma ogrzewania. Moje najstarsze dziecko trzęsie się z zimna, najmłodsze ma rzadką chorobę. Nie mogę dłużej pracować, ponieważ dziecko jest w szpitalu". Cole chował buzię w płaszczu Riley, kryjąc łzy, zmartwiony, że malec w szpitalu umrze, a ten człowiek nigdy nie znajdzie pracy, a biedna *maman* nie będzie mogła chodzić.

– Damy mu pieniądze – mówiła Riley do Cole'a, jakby jedno euro mogło rozwiązać wszystkie problemy tego świata.

– Musimy pojechać metrem – mówi teraz Riley do syna, nakłaniając go do zejścia w podziemny świat nieszczęścia i cierpienia. Musimy spotkać się z moim kochankiem, tego nie powie, ale naciska dłonią na jego plecki, a on jest tak dobrym chłopcem, że posłusznie kieruje się w dół, w dół, po schodach ku jej osobistemu szatanowi.

Na szczęście dziś w metrze nikt nie przemawia, tylko jakiś chłopak tańczy breakdance'a, choć Riley nie jest pewna, czy nie nazywają tego teraz jakoś inaczej. Jest za stara, żeby nadążać za przelotnymi modami. Chłopak kończy występ, Cole bije brawo, a Riley wygrzebuje euro z kieszeni, które syn kładzie na brudnej dłoni tancerza.

Gabi wystawia główkę z nosidełka i przypatruje się światu. Jest cichym dzieckiem i Riley ją za to uwielbia. Uwielbia też ciężar małego ciałka przytulonego do jej piersi, zapach pudru na skórze jej głowy i kępki rudoblond włosów wijących się niczym aureola.

Wychodzą z metra i przez moment są oślepieni – znowu przestało padać i jaskrawe słońce odbija się w zebranych na ulicy kałużach. Riley zakłada okulary gwiazdy filmowej i kryje się za nimi. W Paryżu wszystkie kobiety noszą eleganckie okulary – małe dzieła sztuki w czerwonych, purpurowych lub złotobrązowych oprawkach. Ona jednak nie zamierza pozbyć się swoich niewymiarowych okularów przeciwsłonecznych w turkusowych oprawkach – w nich czuje się niczym Gwyneth pędząca do Paryża na małe zakupy ciuchowe.

Wyciąga swój plan, książeczkę ściągawkę z mapami, którą nosi niczym Biblię, i znajduje 1. dzielnicę, *arrondissement* – potem rue de Rivoli, gdzie czeka Philippe. Jeszcze nigdy nie udało się jej dotrzeć bez błądzenia w umówione miejsce. Ulice są zdradliwe i mogą doprowadzić człowieka do kanału zamiast do skrzyżowania. Nie będzie pytać o drogę – to całe pokazywanie palcami, machanie rękami jest bezużyteczne.

Ale w jakiś cudowny sposób wejście na dziedziniec Luwru jest po drugiej stronie ulicy, a przed nim stoi Philippe.

Czeka, aż się zbliżą, a potem robi krok do przodu i nachyla się, żeby ją pocałować.

Riley odsuwa się.

– *Les enfants*, Dzieci – mówi.

– Aha, więc teraz konwersujesz po francusku.

Wita się z nią uściskiem dłoni. Tak robią, gdy on przychodzi do jej mieszkania na lekcje francuskiego. Podaje również rękę Cole'owi.

– *Bonjour, monsieur.*

– *Bonjour, monsieur* – powtarza Cole z idealnym akcentem.

Philippe nachyla się, żeby pocałować czubek głowy Gabi, i kładzie dłoń na szyi Riley. Obie wydają z siebie coś na kształt skomlenia.

– *Arrête*, Przestań – mówi Riley.

– Pani francuski jest bardzo dobry, *madame*.

– To jedyne cholerne słowo, jakiego można się nauczyć na tutejszych placach zabaw. *Arrête, Antoine. Arrête, Marie-Helene. Arrête. Arrête.*

– Bywasz na niewłaściwych placach zabaw. Chodźcie za mną.

Prowadzi ich do korytarza z przeszklonymi ścianami, w którym zorganizowano wystawę sztuki starożytnej – rzeźby i relikty, na wpół odkopane budynki. Riley rozgląda się na boki, gdy przechodzą śpiesznie – nie była jeszcze w Luwrze. Po roku mieszkania w Paryżu właściwie nie poznała większości atrakcji turystycznych. Mając dwójkę dzieci, robi się inne rzeczy. To są place zabaw dla dorosłych. I znowu ten dzień wydaje się jej inny i ekscytujący.

Wchodzą na dziedziniec Luwru. Riley była tu raz, z Victorem, w niedzielny poranek, z dziećmi w wózkach. Pamięta tylko ich kłótnię o przyjęcie firmowe, w którym wykluczono udział małżonków.

– Dlaczego nie? – spytała wtedy.

– Francuzi oddzielają życie prywatne od zawodowego – odpowiedział jej Vic.

– Dlaczego? – Czuła się jak Cole: „Dlaczemu--dlaczemu-dlaczemu?".

– Może, żeby żona nie poznała ładnej asystentki.

– Czyja żona? Czyjej ładnej asystentki?

– Teoretycznie.

– To absurdalne i szalone – upierała się Riley. – To takie… takie przymykanie oczu.

– Przymykanie oczu jest dobre.

– Ty uważasz, że wszystko, co oni robią, jest dobre.

– Czasami musimy spojrzeć na świat przez inne okulary – wyjaśnił spokojnie Vic, jakby zwracał się do dwuipółletniego dziecka.

Riley znalazła nowe okulary. Teraz jest pełna podziwu dla śmiałej współczesnej szklanej piramidy projektu I.M. Peia postawionej między uroczymi zabytkowymi budynkami. Rozgląda się zdziwiona. Słyszy rozmowy w różnych językach – francuskim, angielskim, hiszpańskim, niemieckim, arabskim. Przyjechali tu ludzie z wielu krajów, żeby chłonąć historię, sztukę, wdzięk.

– Idziemy do kawiarni – Philippe prowadzi ich przez dziedziniec.

– Mamy czas przed wycieczką na plan?

– Chyba tak. Usiądziemy na chwilę, napijemy się wina.

Zatrzymują się przed arkadą Luwru. Café Marly ze złotymi i zielononiebieskimi akcentami jest oszałamiająco piękna i wytworna, pełna elegancko ubranych ludzi. Nie ma tu żadnych dzieci, dzikich dwulatków, żadnych matek karmiących piersią. Riley patrzy zaniepokojona na Philippe'a.

– Nie będziemy tu długo – oświadcza Philippe.

– *Maman* – Cole pokazuje na grupę dzieci bawiących się piłką przed fontanną.

– Idź do nich. Będę stąd na ciebie patrzyła.

Cole odbiega, a po drodze jego ręce zamieniają się w skrzydła samolotowe.

Philippe i Riley zajmują mały stolik z idealnym widokiem na dziedziniec i piramidę. Riley trzyma Gabi w nosidełku i głaszcze małą po główce, jakby zapewniając ją, że *maman* może napić się kieliszek wina ze swoim francuskim kochankiem w tej bajecznej kawiarni w centrum wytwornego Paryża.

– To *pain au chocolat* z najlepszej cukierni, *pâtisserie*, w całym Paryżu – Riley wygrzebuje z plecaka nieco zgniecioną torbę.

– *J'aime pas* – mówi Philippe.

– Co?

– Nie lubię, nie mogę jeść czekolady.

– To niemożliwe.

On robi tę dziwną francuską minę – podnosi brwi, wydyma wargi – co ma oznaczać wszystko: kogo to obchodzi, co ty tam wiesz, moim zdaniem jesteś kapitalna.

Riley gryzie ciastko. Jest idealne i jednocześnie takie samo jak każde inne.

– Chciałem na ciebie popatrzeć – mówi Philippe.

No to patrzy sobie. Zapomniała się ubrać, wychodząc z domu? Czy to przypadkiem nie jest dziecko przytulone do jej gigantycznej piersi?

– Więc kim jest ta aktorka? – pyta Riley.

– Dana Hurley. Występuje w filmie świetnej reżyserki, Pascale Duclaux.

– Dana Hurley to niezła babka. Chętnie ją zobaczę.

Philippe patrzy na nią z lekko rozchylonymi ustami.

– Gdzie kręcą? – Riley zerka na Cole'a, który macha nogą, żeby kopnąć piłkę, pudłuje i upada na pupę, zanosząc się śmiechem.

– Na Pont des Arts, ale najpierw napijemy się wina.

– Wydawało mi się, że pijesz piwo.

On ma zdezorientowaną minę.

– Och, mieszkanie. Przepraszam. Nie wiedziałem…

– Wino jest dobre. Napijmy się.

Zamawiają dwie lampki. Riley rozgląda się po kawiarni. Jest w niej pełno ludzi i chyba przy wszystkich stolikach siedzą pary. Jedna z nich, dwójka młodych, się całuje i przez chwilę Riley wydaje się, że dziewczyna wygląda jak młoda wersja jej samej, a chłopak mógłby być Vikiem, zanim dorósł i stał się Le Victorem. Czy my kiedykolwiek obściskiwaliśmy się publicznie? Nigdy.

Przypomina sobie, jak pocałowała Vica na oczach jego rodziców podczas weekendu, kiedy ich poznała w Ohio.

– Są skrępowani takim zachowaniem – wyszeptał, biorąc jej dłoń, jakby nie chciał jej urazić. Siedzieli na kanapie w połowie przyjęcia z okazji finału mistrzostw w futbolu amerykańskim.

– Jakim zachowaniem? – odszepnęła.

– Afiszowaniem się seksem.

– To tylko pocałunek. Chcesz seksu, to ci go zademonstruję.

– Później – obiecał. Poprosił ojca, żeby głośniej nastawił telewizor. Usłyszą tylko komentatorów, a nie jego szaloną dziewczynę.

Philippe nachyla się do niej.

– *Ce soir*, Dziś wieczorem – mruczy.

– *Ce soir* robię makaron z serem.

– Nakarm mnie – szepcze.

– W piątkę byłoby ciasno przy stole jadalnym. – Choć będzie ich tylko troje, oczywiście. Wskazuje na dziecko, jakby Gabi mogła zrozumieć tę rozmowę.

Philippe albo ją ignoruje, albo ona nieprawidłowo używa międzynarodowego sygnału na „zamknij się, do cholery". Przypomina sobie, jak jej ojciec często mówił: „Tylko nie przy dzieciach", a ona wiedziała, co to oznacza: Uwaga! Zaraz będzie afera!

– Chcę się znowu z tobą spotkać – mówi Philippe.

Riley rozkłada szeroko ramiona – halo, popatrz no! I oto już spogląda na niego malutka dziewczynka. Dziewczyny czują takie rzeczy intuicyjnie – może ona wie, co się dzieje. Komu potrzebne słowa, skoro widać, że koleś ma tylko jedno na myśli: seks.

– Porozmawiajmy o twoim życiu – Riley głaszcze Gabi. Spędza tyle czasu na głaskaniu jej główki, że aż dziw bierze, iż dziecko ma w ogóle jeszcze jakieś włosy. Może dlatego wiją się wokół jej głowy, jakby tańczyły.

– *Bof* – mówi Philippe.

– Dobra. Przetłumacz mi to. Jestem tu od roku i każdy mówi to cholerne *bof* w każdej rozmowie. *Bof. Bof. Bof.* O co chodzi z tym *bof*?

– Nie da się tego przetłumaczyć.

– Co z ciebie za korepetytor?

– Najlepszy – uśmiecha się tym szatańskim uśmiechem. Koszula zdecydowanie nie jest modna – pozersko błyszcząca. Uczę się, myśli Riley. Może nie znam słów, ale na koszulach się znam.

– Masz dziewczynę? – W tym uroczym mieszkanku, które dziś odwiedziła, nie było widać damskiej ręki, ale kto wie, dziewczyna może żłopać piwo.

– *Elle s'appelle Riley* – mówi Philippe.

– Coś ci się pomyliło, nie może się tak nazywać.

– *Pourquoi pas?*

– Ponieważ mam tu parę kilo miłości na kolanach, a drugie biega tam dokoła.

– To nie ta sama miłość.

– Mówimy o miłości?

– Nie musimy mówić. Musimy się kochać.

– Chodzi ci o s-e-k-s.

– *Faire l'amour.* Żeby uprawiać miłość.

– W naszym kraju…

– Nie jesteś w swoim kraju.

– A w waszym kraju miłość i s-e-k-s to to samo?

– Być może.

– Niewiarygodne! Uwielbiam to miasto.

– *C'est vrai?*

– Naprawdę. Dziś. Teraz. W tej sekundzie. Kocham Paryż.

Przychodzi kelner, nalewa im wina i stukają się kieliszkami.

Niebo ciemnieje; znowu pojawiły się gęste czarne chmury. Riley przesuwa swoje wielkie okulary przeciwsłoneczne na włosy.

– Kiedyś sądziłam, że za każdym razem, kiedy uprawiałam s-e-k-s, kochałam faceta – mówi. – Teraz wiem, to s-e-k-s kocham.

– Ale to mężczyzna. To zawsze jest mężczyzna.

– Co zawsze mężczyzna?

– To była miłość z nim. To była miłość ze mną.

– *Sorry*, Charlie.

Philippe ma zdezorientowaną minę.

– To takie wyrażenie.

– *Bon* – Philippe wygląda na nieszczęśliwego, jakby w uniesieniu wykrzyknęła cudze imię.

– Myślę, że się mylisz. Tylko mnie podwiozłeś.

– *Je ne comprends pas.*

– Sprawiłeś, że dobrze się poczułam. Dzięki. Ale to nie miłość.

– Potrzebujemy siebie. Wszyscy. Nie możemy być sami.

Riley rozgląda się. Philippe chyba ma rację, widać to po tej paryskiej kawiarni. Ani jednej samotnej duszy. Obściskująca się para wygląda na gotową pognieść prześcieradło.

– Trudno, *c'est fini*. Nie idę jutro do ciebie na popołudniowe rozkosze. Jeśli wiesz, o co mi chodzi.

– *Pourquoi pas?* Kilka godzin temu byłaś, jak wy mówicie, z namiętnością.

– Ale teraz nie jestem roznamiętniona. Teraz jestem z dziećmi.

Mniejsze z tych dzieci zaczyna się wiercić w nosidełku.

– Nie chcę karmić jej piersią na środku kawiarni – mamrocze Riley, szukając w plecaku smoczka.

– Z wielką przyjemnością zobaczę, jak karmisz.

– Jakoś mnie to nie dziwi.

– Amerykanie wierzą w grupy – mówi Philippe. – Macie te swoje grupy ekspatów, dla *maman* i kluby książki. Dzięki nim nie czujecie się samotni?

Riley potrząsa przecząco głową. Ma pełną świadomość tego, że jest samotna za każdym razem, kiedy wchodzi do czyjegoś mieszkania na jedno z licznych spotkań i słyszy zgiełk tylu głosów, widzi mnóstwo jedzenia i usiłuje znaleźć sobie miejsce.

Na ostatnim spotkaniu ekspatów próbowała się z kimś zaprzyjaźnić. Podczas gdy kobiety chwaliły się, że mąż jest dyrektorem w Banku Światowym albo redaktorem naczelnym europejskiego „Newsweeka", albo szefem międzynarodowego oddziału Apple'a, nieśmiała Czeszka przedstawiła się, mówiąc: „Muszę tu być, kiedy mój mąż gra w Paryżu". Riley uznała, że kobieta kpi z faceta. Nie, okazał się nowym pierwszym skrzypkiem Paryskiej Orkiestry Symfonicznej.

– Chcesz się któregoś dnia spotkać? – spytała ją śmiało Riley. – Nie znam tu wielu ludzi.

– Przykro mi, ale skupiam się na francuskim życiu, kiedy tu mieszkam.

Riley poczuła się wtedy jak odmieniec w podstawówce. Miała ochotę skopać tę kobietę po goleniach. Zamiast tego podeszła do koreczków z wędzonym łososiem i szybko wypiła kieliszek taniego białego wina.

– Tu w Paryżu wierzymy w pary – mówi Philippe. – Tylko dwoje ludzi może *faire l'amour*.

– Chodźmy już – Riley szybko wstaje. – Chcę ją uspokoić.

Kołysze małą, stojąc w miejscu. Philippe dopija wino i rzuca trochę pieniędzy na stół.

– Nie bądź zła – mówi słodko, gdy wychodzą na dziedziniec.

– Nie jestem zła, tylko zdezorientowana.

Cole odrywa się od grupy dzieciaków i pędzi do Riley. Podnosi główkę i patrzy na nią.

– Jest dobrze, *maman*. – I bierze ją za rękę.

Co się dzieje w tym jego skomplikowanym rozumku?

– Kocham cię, słonko – mówi Riley. – Przejdziemy się nad rzekę, dobrze?

– Rzeka – cieszy się Cole. I ruszają całą czwórką. Prześpij się z facetem i *voilà!* Od razu masz nową rodzinę. Czy Vic zauważy, wchodząc dziś pod kołdrę, Philippe'a? I znowu w myślach Riley pojawia się triumfalnie naprężony penis, więc odgania od siebie ten obraz.

– A jeśli zacznie padać podczas kręcenia filmu?

– *On verra*.

Nie pyta, co to znaczy. Cokolwiek to jest, lepiej brzmi po francusku.

Na Quai du Louvre jest ogromny tłum. Jak daleko sięgnąć wzrokiem, ludzie stoją na promenadzie i wpatrują się w rzekę.

– Nie wiedziałam, że Francuzi tak kochają gwiazdy – mówi Riley do Philippe'a. Stoją ściśnięci na rogu ulicy, czekając na zmianę świateł. Chyba wszyscy idą w to samo miejsce i gdy zapala się zielone, drepcą za resztą ludzi.

– Kochamy kino. Kochamy sztukę. Doceniamy dzieła naszych wielkich reżyserów.

– Bądźmy szczerzy, Philippe. Jesteście pieprznięci na punkcie gwiazd.

– Tak, chciałbym się pieprzyć z gwiazdą.

– Ona nie jest już młoda.

– W naszym kraju kochamy wszystkie kobiety.

– Miłość, miłość, miłość. Jeśli Francuzi ciągle zajmują się miłością, dlaczego wszyscy są wiecznie źli?

Philippe nachyla się nad Riley i nie trafiając w usta, muska wargami jej policzek.

– *Arrête* – Riley patrzy na Cole'a, który sobie podśpiewuje, ignorując matkę i korepetytora.

– *Je suis méchant* – szepcze Philippe.

Riley zna to wyrażenie – też jest często używane na placach zabaw. Zły, zły chłopiec. Niegrzeczny. Jeszcze jak.

Przechodzą przez ulicę, potem nad płotkiem, który ma chronić trawnik przed pieszymi, ale najwyraźniej jest przez wszystkich ignorowany w czasach międzynarodowego kryzysu, takiego jak na przykład kręcenie filmu, i gromadzą się blisko rzeki.

Riley, lawirując w tłumie – co nie jest proste z dzieckiem na biuście rozmiaru E, popychając przed sobą Cole'a i czując dłoń mężczyzny na swoim tyłku – znajduje pusty kawałek trawnika pod drzewem. Miejsca w pierwszym rzędzie.

– Brawo! – Philippe odsuwa rękę.

Wszyscy patrzą na rzekę. Po drugiej stronie widać lewy brzeg Sekwany ze wspaniałymi starymi kamienicami, a po prawej majestatyczne Musée d'Orsay. Dalej, nad dachami, wieża Eiffla. Riley jest zdumiona. Przez rok mieszkała w jakimś innym miejscu, ciemnym i ponurym. Zupełnie jakby dopiero przyjechała, w różowych okularach na nosie i to zaraz po uprawianiu seksu.

– Łóżko, *maman* – mówi Cole.

Riley odrywa wzrok od nadrzecznej panoramy i patrzy na most dla pieszych. Na jego środku stoi łóżko. W zasadzie wygląda trochę tak, jakby przed chwilą ktoś skończył się na nim bzykać – pościel jest pomięta i rozrzucona.

– Łóżko?

Philippe wyrzuca z siebie potok francuskich słów.

– *Expliquez, s'il vous plaît* – nalega Riley.

– Nie wiem – mówi Philippe. – Ale mam wielką nadzieję, że zobaczę Danę Hurley w tym łóżku.

171

– Nagą.

– *Bien sûr*.

– Na oczach dzieci.

– To sztuka.

– Dziwaczne. Kręcą tu jedną ze scen do filmu – Riley zwraca się do Cole'a. – To nie jest prawdziwe.

Nikt nic nie mówi.

– Bez sensu – mówi Riley do siebie. – To całkowicie prawdziwe. Patrzymy na to.

– *C'est vrai* – stwierdza Philippe.

Riley kładzie rękę na głowie Cole'a. Synek patrzy na nią zdziwiony.

– Wiesz, że gdy ktoś ginie w filmie, to tak naprawdę wcale nie ginie? To aktor gra martwego. Dlatego jeśli ktoś robi coś w tym łóżku, to tylko udaje.

Cole patrzy na nią, czekając na lepsze wyjaśnienie. Nic jej nie przychodzi do głowy.

– Ty mu to wytłumacz – zwraca się do Philippe'a.

Często mówi tak do Vica. Gdy mąż wraca do domu po długim dniu, chciałaby, żeby odpowiedział na wszystkie pytania, które Cole zadaje. Czasami najtrudniej jest jej wyjaśnić najprostsze sprawy: dlaczego tatu musi pracować? Dlaczego tatu nie ma? Dlaczego mamu płacze?

– *On verra* – mówi Philippe.

Tyle jeśli chodzi o mężczyzn i ich wyjaśnienia.

Ale Cole'owi to wystarcza i wraca do przyglądania się łóżku.

Na jednym końcu mostu jest kilka namiotów, a wokół łóżka kręci się mnóstwo ludzi. Riley dostrzega krzesło reżysera i siedzącą na nim rudowłosą kobietę, która macha rękami i krzyczy.

– Masz tę swoją wielką reżyserkę – wskazuje palcem.

– *Mais, oui* – Philippe wzdycha, jakby osiągnął nirwanę. W łóżku tak nie robił, myśli Riley. Widać zachowuje westchnienia dla sztuki.

I wtedy w oślepiającym błysku zapalają się wszystkie światła wokół łóżka, a ono staje się czymś w rodzaju świętego obiektu, oazą bieli, przynętą, wezwaniem. Tłum wydaje zbiorowe westchnienie – cokolwiek się tu dzieje, Riley za cholerę tego nie łapie. No jest materac na moście na środku rzeki. I co z tego?

W absolutnej ciszy zachwyconego tłumu rozlega się pisk, a potem wrzask. To krzyczy jej dziecko.

– Ciii – Riley głaszcze Gabi po główce.

Philippe sztyletuje ją wzrokiem; nawet Cole patrzy tak, jakby należało się jej lanie za nieprzestrzeganie zasad podczas tego nabożeństwa. Pieprzyć maniery, myśli Riley. Dzieciak jest głodny.

Opiera się o pień drzewa i powoli siada na jego korzeniach. Wyciąga Gabi z nosidełka i szybko rozpina bluzkę. Odpina miseczkę i pozwala dziecku przyssać się do piersi ze wszystkich sił. Teraz to Riley wzdycha. To jest miłość.

Podczas gdy Gabi je – a wszyscy inni przyglądają się jakiejś kretyńskiej scenie na moście poniżej – pomiędzy nogami Philippe'a Riley widzi nagą młodą kobietę wijącą się na łóżku, a jakiś napuszony osioł chodzi dokoła niej, jakby był wcieleniem Elvisa Presleya.

To tylko s-e-k-s, myśli Riley, choć s-e-k-s jest świetnym substytutem miłości. Prawdziwa miłość to dziecko, ta pierś i wypływające z niej mleko. To Cole patrzący na pierwszą nagą kobietę w swoim życiu, niewiele później po tym, jak słuchał piosenki miłosnej śpiewanej przez małą dziewczynkę na podwórzu. To jej matka na Florydzie, która codziennie pytała, czy może do niej przyjechać, wiedząc, że córka jest nieszczęśliwa, choć Riley nie powiedziała ani słowa. I w tym właśnie momencie Riley wie, co ma robić. Miłość nie siedzi i nie patrzy. Miłość wskakuje do samolotu i przyjeżdża.

Wyjmuje komórkę. Wybiera numer do mamy i po chwili słyszy jej głos.

– To już trzeci raz w ciągu jednego dnia – mówi mama.

– Wracam do domu. To ja cię podwiozę. Nie dyskutuj.

– Ale ja się czuję dobrze…

– Posłuchaj. Za kilka miesięcy przyjedziesz do mnie do Paryża. Spodoba ci się tutaj. Zabiorę cię na wieżę Eiffla, popłyniemy *bateau-mouche*. Nie robiłam jednego ani drugiego. Ale teraz jadę na Florydę.

– Dlaczego szepczesz?

– Ponieważ wszyscy patrzą, jak kręci się tu film. Gra w nim Dana Hurley. O, chyba ją widzę. Stoi obok łóżka na moście, a jakaś *chiquita* z gołym tyłkiem odstawia seksownego kociaka na łóżku.

– Gdzie jest Cole?

– Patrzy. To sztuka, mamo.

– Nie rozumiem, jak wy, młodzi ludzie, wychowujecie teraz dzieci.

– No cóż.

– Nie możesz tak po prostu tu przyjechać, Riley. Jesteś mężatką.

– Nienawidzę tego.

– Nieprawda.

– Nie, nie małżeństwa. Bycia jego żoną. Jego. Vica.

– Och. Vic.

Przez chwilę milczą. W końcu matka mówi:

– Tak myślałam.

– Chcę czegoś innego. Nie wiem czego.

Riley słyszy jakiś warkot w tle.

– Co to za hałas?

– Robię sobie koktajl. Przeciwnowotworowy. Myślisz, że zadziała?

– Tak. Zajmiemy się tym.

– Dziękuję ci, kochanie. – Mama płacze, a odgłos tłumionego szlochu miesza się z szumem blendera.

Riley nie płacze. Uśmiecha się, pozwala Gabi ssać i patrzy, jak Cole się gapi. To jest miłość. Wróci do domu z dziećmi i zajmie się swoją matką, która nie pozwala na to, by ktokolwiek na świecie jej pomagał. Może nawet pozwoli matce, żeby zajęła się nią.

Wtedy rozlega się grzmot, tłum się zachłystuje. Cole robi krok do tyłu i cała trójka, ona, Gabi i Cole, przytulają się pod baldachimem liści, a deszcz zalewa łóżko, aktorów, tłum, Philippe'a i Paryż w całej swojej okazałości.

Jeremy i Chantal

Czy chcę pocałować moją korepetytorkę francuskiego, ponieważ pokłóciłem się z żoną, zastanawia się Jeremy, czy też pokłóciłem się z żoną, ponieważ nagle zacząłem pożądać korepetytorki francuskiego?

To jego ostatni dzień z Chantal, a on jest w stanie myśleć tylko o jej ustach.

Dotąd codziennie podczas ich spotkań skupiał się na odmianie czasowników, mało znanych rzeczownikach i wyrażeniach potocznych. Teraz marzy o jej lekko zaróżowionej skórze, widocznej w wycięciu bluzki, cieple, które go ogarnia, gdy jego wzrok pada na zagłębienie między obojczykami.

W trakcie kłótni zeszłego wieczoru, kiedy on i Dana szli po Paris-Plage, spóźnieni na ostatnie metro, zbyt nietrzeźwi, żeby rozmawiać, powiedział: „Potrzebuję ciszy. Twoje życie jest zbyt głośne".

Czy naprawdę tak uważał? Skąd mu się to wzięło? Czy cztery dni z Chantal, cztery długie, leniwe dni poświęcone konwersacjom doprowadziły do takiego chaosu w jego umyśle?

W środku pijackiego, ostrego seksu, jakiego nigdy z Daną nie uprawiali i po którym oboje byli obolali i zdyszani, Dana spytała:

– Odchodzisz ode mnie?

– Nie. Nie. Kocham cię. Zawsze będę cię kochał.

A teraz Chantal stoi przed nim przy wejściu do metra, włosy wysuwają się jej z klamry i falujące kosmyki podkreślają jej długą szyję. Patrzy na niego z ukosa, jakby mówiąc: Już cię znam. Wiem, że coś się dzieje. I ten jej zapach. Wczoraj Jeremy zasypiał, myśląc o woni jaśminu i zielonej herbaty, odurzającej mieszance, którą pragnie poczuć, gdy nachyla się teraz ku Chantal, całując ją w policzki, bo dziś nie witają się uściskiem ręki. To ich ostatni wspólny dzień w Paryżu.

Może to miasto sprawia, że zachowuję się jak głupek, myśli Jeremy. Rozgląda się i znowu przez chwilę ma osobliwe wrażenie, że wszystko widzi po raz pierwszy. To dlatego, że tutaj jest tak inaczej niż w Los Angeles. Odkrywa Paryż, przemierzając jego ulice i podziwiając stare budynki oświetlane nowym światłem.

Natychmiast dopada go poczucie winy, jakby Dana mogła usłyszeć jego myśli. Nie, życie z nią z pewnością nie jest mdłe i nijakie. To nie ona. To Los Angeles, Hollywood. Czułby się tak samo, gdyby nagle został przeniesiony w góry Teton.

Ale w górach Teton nie stałaby przed nim korepetytorka.

– Nasz ostatni dzień – mówi Chantal po francusku. – Gotów?

Tak dużo chciałby powiedzieć. Nie, nie jestem gotów, żeby lekcje francuskiego się skończyły. Tak, jestem gotów na ciebie. Nie, nie jestem gotów na zmianę życia. Tak, jestem gotów na ciebie. Nie, nie jestem gotów na Lindy, moją pasierbicę, która nieoczekiwanie pojawiła się wczoraj z dopiero co ogoloną głową. Nie jestem gotów na kolejny wieczór z nieznośną ekipą filmową.

– *Oui* – odpowiada. – *Je suis prêt*, Jestem głodny.

Korepetytorka uśmiecha się cudownie i Jeremy'ego pierwszy raz tego dnia ogarnia spokój.

Stoją przez zejściem do metra w 5. dzielnicy. Każdego ranka spotykają się przy innym przystanku, przemierzają ulice Paryża i rozmawiają po francusku. Jeremy'emu podoba się taki program i zastanawia się, czy Chantal zawsze go realizuje ze swoimi uczniami, czy wymyśliła specjalnie, gdy go poznała cztery dni temu i zorientowała się, że czuje się swobodniej, gdy spacerują. Gdybym tylko mógł uczyć się, chodząc, kiedy byłem dzieckiem, myśli Jeremy, taką szkołę mógłbym polubić.

Nie wątpi, że Chantal będzie w stanie zrozumieć to w ciągu kilku krótkich godzin. Podczas tych czterech dni dowiedziała się już, że on lubi mówić o architekturze, drewnie, o polityce i literaturze. Zatem tak prowadzi ich rozmowy, tak planuje spacery, żeby wzbudzić jego zainteresowanie bez pytania, co chciałby robić.

Wczorajsze słoneczne niebo zniknęło, przyszły chmury. Chantal niesie parasolkę. Powietrze jest gęste od wilgoci i przesycone intensywnymi zapachami.

– Zaczniemy od targu – mówi Chantal po francusku. – Zapoznam cię ze słówkami dotyczącymi jedzenia.

Jeremy nie wspomniał Chantal, że uwielbia gotować. Teraz uśmiecha się i potakuje, zadowolony, że idzie koło niej.

* * *

– Kupiłam mężowi piękną Francuzkę na naszą rocznicę ślubu – oznajmiła Dana zeszłego wieczoru towarzyszącym im podczas kolacji osobom.

– Niezupełnie – dodał Jeremy.

– Chciałam, żeby pojechał ze mną do Paryża – tłumaczyła Dana, nachylając się konspiracyjnie do zgromadzonych przy stole mężczyzn i kobiet, zniżając głos, jakby zdradzała im jakiś sekret. Ale byli już ostatnimi klientami w restauracji. Dana zeszła z planu dopiero po dziesiątej. Kolację zaczęli jakoś o wpół do jedenastej, a gdy mówiła te słowa, była już niemal pierwsza. Kelnerzy stali przy drzwiach do kuchni, chcąc skończyć pracę. – To nasza dziesiąta rocznica. Nie zamierzałam spędzić jej sama.

Dana nigdy nie jest sama. Są inni aktorzy, reżyserzy, agenci, wielbiciele, tylu wielbicieli, że jest nawet rozpoznawana za granicą.

– Niedawno skończyłem prace renowacyjne w Santa Barbara – powiedział Jeremy. – Z przyjemnością tu przyjechałem.

Skarcił się za nagłą konieczność przypomnienia towarzystwu, że on również pracuje, że ma swoje życie – i to artystyczne. Nie jeździ za Daną z jednego planu na drugi. Ale nikt nie zwracał na niego uwagi. Czekali, aż usłyszą więcej o pięknej Francuzce, a Jeremy chciał już znowu być z żoną w hotelu, wreszcie sam na sam.

– Ale co miał robić cały dzień w Paryżu, podczas gdy ja jestem na planie? Cóż. Pascale podała mi nazwę szkoły językowej i umówiłam go na cały tydzień prywatnych korepetycji. Podczas gdy ja pracuję, on poznaje język miłości z dziewczyną o imieniu Chan-taaaal.

– Niezupełnie – sprostował Jeremy. Był przyzwyczajony do historyjek swojej żony, do tego, jak koloryzowała rzeczywistość. Zaraz okaże się, że Chantal jest najpiękniejszą kobietą w całej Francji. – Jeszcze nie omawialiśmy miłości – wyjaśnił.

Wszyscy byli oczarowani.

– Dzięki Bogu, że ci ufam – dodała Dana.

– Moja pasierbica chciałaby się z nami spotkać na kawę – zwraca się do Chantal po francusku, gdy idą w górę rue Mouffetard. Jeremy dostrzega przed sobą długą linię straganów; jakiś mężczyzna zachwala owoce: „*Cerises! Melons!*". Rozumie z łatwością francuski, gdy mówi do niego Chantal, ale gubi się przy silnym akcencie lub kiedy ktoś trajkocze z prędkością karabinu maszynowego.

– Ile lat ma twoja pasierbica?

– Dwadzieścia. Zostawiła mi dziś rano wiadomość. Jeszcze z nią nie rozmawiałem. Przyjechała w środku nocy. Jeśli uważasz, że to nam utrudni zajęcia…

– Nie, ani trochę. Z przyjemnością ją poznam.

Jeremy zerka na Chantal. Jest opanowana, elegancka – modelowa młoda paryżanka. Nie potrafi jej sobie wyobrazić obok szalonej Lindy. Z przodu dobiegają go hałaśliwe głosy i koncentruje swoją uwagę na targu. Nie jest pewien, czy ma ochotę wejść w ten zgiełk – po raz pierwszy zastanawia się, czy nie zaproponować czegoś innego niż to, co zaplanowała Chantal. Jakąś spokojną ulicę, gdzie będą mogli rozmawiać bez przekrzykiwania innych. Porozmawialiby na przykład o tym, o czym nie mówili przez cały tydzień. Kim jest ta kobieta? Chce ją poznać – skąd jest, gdzie mieszka, co chce robić w życiu.

Dlaczego nie mieliby rozmawiać o sprawach sercowych? Po francusku! Zawsze wiedział, że nieźle mówi w tym języku, ale nie należy do osób, które lubią ryzykować i wypróbowywać niepewne zwroty na obcych. Nie lubi robić z siebie głupka. Przy Chantal zdania, które wypowiada, wydają się w pełni gotowe, jakby czekał dwadzieścia pięć lat, od czasów college'u, żeby rozmawiać z tą kobietą.

Oczywiście, zawsze kiedy tu przyjeżdżają, to Dana mówi. Studiowała przez rok na Sorbonie i zakochała się w Algierczyku, który przyjechał za nią na Uniwersytet Kalifornijski i zamieszkał w jej pokoju w akademiku, dopóki jej rodzice się o tym nie dowiedzieli i go nie wyrzucili. Dana nawet wygląda na Francuzkę, choć może to z powodu krótkich spódnic i czarnych rajstop, które zawsze nosi. Namawia Jeremy'ego, żeby mówił po francusku, kiedy robią zakupy lub wychodzą coś zjeść, ale znalezienie właściwego słowa zajmuje mu za dużo czasu. W końcu ona mu pomaga.

– Kupi mi pan ciastko, *monsieur*? – pyta Chantal przy pierwszym stoisku z wyłożonymi w rzędach rozmaitymi słodkościami: *croissants, brioches, pain aux amandes, pain au chocolat, éclairs, palmiers.*

– Co by pani chciała? – Ta prosta czynność wydaje mu się zaskakująco intymna.

Dziewczyna patrzy przez moment, a potem wskazuje.

– *Deux palmiers, s'il vous plaît* – mówi do piekarza. W jej głosie nie ma wahania, nie brzmi jak turystka, która nie jest pewna, czy to dobrze wymówiła. On mówi po francusku zazwyczaj za cicho i jest proszony o powtórzenie. To proste, myśli. To tylko kwestia pewności siebie.

Piekarz jest w tym samym wieku co on, zbyt szczupły, by interesowały go własne dzieła. Przygląda się Chantal, a potem uśmiecha do Jeremy'ego, który nie potrzebuje żadnego tłumacza, by to zrozumieć.

Płaci za ciastka i podaje je Chantal. Ona odwraca wzrok. Czy widziała pełne uznania spojrzenie tego człowieka? Nagle zaczęła się wstydzić Jeremy'ego...

– Opowiedz mi o jedzeniu. Później porozmawiamy o twojej córce.

Czuje się dziwnie nielojalny, mówiąc o Lindy. Ona należy do życia z Daną. I jest skomplikowana. Rzuciła szkołę, przestała rozmawiać z matką i wciągnęła go w swoje tajemnice. Fakt, że pojawiła się w środku nocy, bez zapowiedzi, z głową ogoloną na zero, zmartwił go – nie ma pojęcia, czego się po niej spodziewać. Już łatwiej mówić o oberżynach i malinojeżynach.

Nagle dobiega go muzyka. Jeremy spogląda za stoisko piekarza. Jak mógł nie usłyszeć akordeonów? Dochodzą go krzyki kupców zachwalających owoce i warzywa, ale w tym zgiełku jest także słodki głos kogoś śpiewającego. Zbyt dużo do usłyszenia, zbyt dużo do obejrzenia. Koncentruje spojrzenie na małym kręgu osób zebranych na placyku na końcu targu. Grają akordeoniści, pomiędzy którymi stoi kobieta z mikrofonem i śpiewa, a w środku kręgu tańczy jakaś para.

– Chodźmy popatrzeć. – Prowadzi Chantal przez zatłoczony rynek. Zerka na nią, gdy przepychają się przez tłum; Chantal ma szeroko otwarte oczy, a na jej twarzy maluje się uśmiech. Jeremy czuje się, jakby to on stworzył ten świat Edith Piaf.

Para tancerzy jest w podeszłym wieku, na oko tuż po siedemdziesiątce. A jednak ruszają się zwinnie, z wdziękiem, idealnie zgrani z muzyką. Oboje są wysocy, szczupli i wyglądają, jakby spędzili całe życie w swoich ramionach. Kobieta jest w sukience w stylu lat czterdziestych, której dół wydyma się podczas wirowania. Ma buty z rzemykami krzyżującymi się wokół kostek. Mężczyzna, wytworny i wątłej budowy, jest cały ubrany na biało – biała czapka, koszula, spodnie, białe buty.

Jakaś kobieta chodzi wokół zebranych, wręczając im kartki papieru. Jeremy bierze jedną: to tekst piosenki. Już słychać przyłączające się głosy.

– Występują tutaj codziennie?

– Nigdy tego nie widziałam. To piękne.

Kolejna para rusza do tańca. Są młodsi, mniej utalentowani, ale bardzo z siebie zadowoleni. Potem pojawia się kobieta w ogromnym kapeluszu. Tańczy samotnie, a jej ręce z wdziękiem unoszą się w powietrzu, być może opasując niewidzialnego partnera.

– Zatańczymy? – pyta Jeremy.

– Jestem beznadziejną tancerką.

– To niemożliwe.

Ujmuje jej dłoń i wchodzą do środka koła. Kładzie rękę na wąskiej talii i czuje lekki dotyk jej palców na ramieniu. Podnosi drugą rękę, a ona zaciska na niej swoją. Chantal patrzy na niego z niepewnym uśmiechem.

On zaczyna wirować, wsłuchając się w dźwięk akordeonów i sprawdzając jej reakcję na delikatny nacisk jego dłoni na jej plecy. Chantal jest zdenerwowana, zerka na ich stopy.

– Proszę patrzeć na mnie – mówi Jeremy. Tańczy nie z taką wprawą jak ubrany na biało mężczyzna, ale potrafi poruszać się w rytm muzyki. To mu najlepiej wychodzi – nie rozmawianie, nie opowiadanie historii czy wyznania, czy kłótnie późną nocą. On zna mowę ciał.

Widzi, jak znika jej zatroskana mina, a na twarzy pojawia się uśmiech.

Wyobraża ją sobie w łóżku i przyciąga bliżej. Muzyka przestaje grać. Chantal robi krok do tyłu.

– *Merci* – mówi, ale nie patrzy na niego. Schodzi z prowizorycznej sceny w tłum widzów.

Jeremy odczekuje chwilę. Byłoby łatwo, myśli, wziąć ją za rękę i wciągnąć na podest. Jeszcze jedna piosenka. Poddaj się muzyce. Poddaj się mnie.

Nagle przypomina sobie Danę, jej ciało na łóżku, pragnienie w jej oczach. Czuje, jak coś się w nim budzi – pożądanie, potrzeba, frustracja – ale jest nadal zakochany w swojej żonie. Teraz tylko spędza dzień z korepetytorką francuskiego. Wracaj do zajęć, mówi sobie.

Podąża za Chantal i z trudem przeciskają się poza krąg widzów. Zaczęła się nowa piosenka – coś o kieliszku białego wina, *le petit vin blanc*. Podest zajmują nowi tancerze. Ale Chantal nie zatrzymuje się i wkrótce są znowu na rue Mouffetard, a targowe hałasy zagłuszają brzmienie akordeonów.

Idą wzdłuż rzędu kramów stojących po obu stronach wąskiej uliczki. Większość stoisk ocieniają markizy, na stołach piętrzą się świeże warzywa, dorodne owoce, miski oliwek, mnóstwo kwiatów. Chantal omawia gatunki mięsa, ryb, rodzaje serów. Jeremy zadaje dobre pytania – chce zrozumieć, dlaczego sery mają we Francji tak wysoką jakość, dlaczego są tu warzywa i owoce, których nigdy wcześniej nie widział, i co robi się z liśćmi czosnku niedźwiedziego.

Chantal rozpina kardigan – na rynku jest tłoczno i duszno. Ludzie na nich wpadają i popychają ku sobie. Chantal ma bladoróżową bluzkę. Jeremy zdaje sobie sprawę, że dotąd nie widział jej w niczym kolorowym – wszystkie jej ubrania były w jakimś odcieniu szarości lub czarne.

Dziewczyna patrzy na niego; jego wzrok spoczywa na jej szyi. Jeremy szybko odwraca oczy.

– Opowiedz mi o oliwie – prosi. Przed nimi stoi tuzin butelek, a krzepki sprzedawca zachęca ich do degustacji. Jeremy zanurza trójkątny kawałek chleba w miseczce z oliwą. Gdy czuje na języku jej smak, orientuje się, że jest głodny. Próbuje wszystkich rodzajów, a Chantal śmieje się z tego nagłego apetytu. Jeremy kupuje dwie butelki najlepszej oliwy – jedną dla Chantal, drugą dla siebie. Ten smak zawsze będzie mu przypominał ich wspólne śniadanie.

Wychodząc z targu, oboje niosą w ramionach plastikowe torby, jakby wybrali się na zakupy zamiast na lekcję francuskiego. Chantal wsadza bagietkę do swojej torby. Nie rozmawiali o lunchu, ale Jeremy wyobraża sobie *pique-nique*, w jednym z tych ukrytych parków, które mijali na spacerach.

Skręcają w boczny średniowieczny zaułek dla pieszych i targowa wrzawa natychmiast cichnie. Przez chwilę milczą, po czym Chantal mówi mu, że pójdą do Jardin des Plantes, gdzie znajduje się muzeum historii naturalnej. Jest przekonana, że to go zainteresuje.

– Tak, z pewnością. – Jeremy jest zadowolony z tego pomysłu.

Drugiego dnia ich spotkań przeszli przez dzielnicę pełną sklepów z antykami, żeby mógł się nauczyć, jak rozmawiać o meblach, biżuterii i sztuce. Zobaczywszy, że Jeremy zwraca szczególną uwagę na rodzaje drewna, z którego wykonano stare przedmioty, Chantal zadbała o zorganizowanie spotkania z człowiekiem zajmującym się odnawianiem antyków. Stali w otoczeniu czarującego nieładu pracowni starszego mężczyzny, do jego uszu docierał niski, monotonny głos rzemieślnika, a nos wciągał zapachy rozpuszczalników i perfum Chantal. Słońce późnego popołudnia wpadało przez wysokie, wąskie okienka sklepu i Jeremy pomyślał: Jestem tu szczęśliwy. To jest moje miejsce.

Co za dziwna myśl jak na niego. Nigdy nie chciał osiedlić się za granicą. Przez całe życie mieszkał w Kalifornii i zaczął podróżować dopiero jedenaście lat temu, gdy poznał Danę. Jest domatorem; potrzebuje psa, projektów domów, książek i fotela przy kominku. On i Dana mieszkają w dzielnicy Santa Monica Canyon, a na galach w Hollywood towarzyszy jej tylko wtedy, gdy ona bardzo nalega, ale na szczęście robi to rzadko. Ma kilka garniturów, ale na co dzień chodzi w ubraniach roboczych. Kiedy spędza dzień poza domem – odnawiając coś, czego nie da się przetransportować do jego warsztatu – czuje się niespokojny. Nie może się doczekać wieczoru i powrotu do domu.

Dlaczego więc teraz ma wrażenie, że to obce miasto jest jego wymarzonym miejscem, w którym mógłby żyć?

Myśli o tym, co stało się w ciągu tygodnia, który spędził z Chantal. Spojrzał na Paryż nowymi oczyma. To nie tylko inne widzenie otaczającego go świata – ostrzejsze i barwniejsze. Czuje się kimś innym, gdy mówi po francusku – kimś bardziej intrygującym, tajemniczym. To krzepiące, zupełnie jakby w tym nowym miejscu mógł wszystko.

Na przykład wziąć kobietę za rękę i poprowadzić ją na parkiet.

– W drodze do muzeum – mówi Chantal – opowiedz mi o swojej córce.

Przez moment Jeremy chce, żeby szli w milczeniu. Ale to absurd, przecież ma uczyć się języka francuskiego.

Dobrze jest iść z Chantal u boku. Jej wysokie, szczupłe ciało zadziwia go po latach spacerowania z drobną i niską Daną, która wydaje się w ruchu, nawet gdy stoi. Nie powinien porównywać żony z korepetytorką francuskiego – przecież nie jest na randce – ale odwykł od kobiecego zainteresowania. Ona dostaje za to pieniądze, przywołuje się do porządku. Jego żona płaci Chantal, żeby z nim prowadziła konwersacje. Ta myśl momentalnie psuje mu humor.

– Lindy to córka żony. Pojawiłem się w jej życiu, kiedy miała dziewięć lat.

– I jesteście blisko – stwierdza Chantal. – Widzę coś w twojej twarzy, kiedy o niej mówisz.

– Kocham ją. – To prawda. Nie chciał potomstwa i kiedy Dana powiedziała mu, że ma dziecko, przez chwilę rozważał zakończenie ich związku. Miał trzydzieści pięć lat, kiedy się poznali, i każda kobieta, z którą się spotykał, chciała mieć dziecko – natychmiast – bez względu na miłość. Dana nie zamierzała ponownie zachodzić w ciążę, ale miała nadzieję, że on zaakceptuje jej córkę. Lindy okazała się dziecięcą wersją swojej matki – miała taki sam urok. Stracił głowę dla obu.

Przez te wszystkie lata nauczył się być ojcem. Rodzony ojciec Lindy zarządzał portfelem międzynarodowych nieruchomości jakiejś firmy – ciągle był w Singapurze, Tokio czy Sydney. Lindy miała w pokoju mnóstwo pamiątek z podróży, ale żadnego zdjęcia ojca na komodzie. Zamiast tego oprawiła zdjęcie ich trojga zrobione w Kostaryce. Przed czterema laty spływali pontonem po burzliwej rzece Pacuare, w pomarańczowych kamizelkach ratunkowych pośród zielonej dżungli. Dana siedzi na przodzie, ma szeroko otwarte oczy na widok spadku rzeki, który jest tuż przed nimi, a za nią szesnastoletnia Lindy nachyla się do Jeremy'ego i oboje uśmiechają się zachwyceni.

Jeremy opowiada Chantal o niedawnym buncie Lindy – kiedy rzuciła college, zniknęła na jakiś czas, co doprowadziło jej matkę do wściekłości. Dostawał od niej maile, w których pisała: „Jestem bezpieczna. Muszę to zrobić. Powiedz mamie, żeby się za bardzo nie piekliła. Kocham Cię". Jeremy nie jest w stanie przetłumaczyć „piekliła", więc mówi to po angielsku, a Chantal wydaje się go rozumieć. Zabawne. Nawet nie wie, czy jego korepetytorka zna angielski.

– Myślę, że musi znaleźć własną drogę – mówi Jeremy. – Jej matka odniosła ogromny sukces. Sądzę, że to utrudnia Lindy poznanie i określenie siebie.

– Czy ona też chce być aktorką?

– Tak. A ja nie mogę jej powiedzieć, żeby nie próbowała.

– A jest utalentowana?

Jeremy potakuje.

– Nie znam odpowiedniego słowa. Ma talent, ale brakuje jej spontaniczności, agresji – nie, ducha – nie potrafię tego wyjaśnić.

Agresja, co za brzydkie określenie tego, co napędza jego żonę. Właśnie, napęd, to jest to.

– Ma dopiero dwadzieścia lat – zauważa Chantal. – Większość młodzieży w tym wieku nie wie jeszcze, co będzie robiła w życiu.

– Ile masz lat? – Gdy tylko wypowiada te słowa, chce je cofnąć. Brzmi to, jakby byli na jakiejś randce.

– Dwadzieścia osiem. – Chantal nie jest speszona. – I ciągle szukam swojej drogi.

– Ja zawsze wiedziałem, czego pragnę. Już jak byłem chłopcem, fascynowało mnie drewno. Po college'u dostałem pierwszą pracę w przedsiębiorstwie budowlanym. Ale szybko przekonałem się, że nie chcę budować niczego nowego. Interesuję się starymi, zniszczonymi przedmiotami. Ogromnie cieszy mnie przywracanie im pierwotnego piękna.

– Nie dziwi mnie to. – Chantal uśmiecha się.

– A ty? Co ciebie pociąga?

Nie odpowiada przez chwilę. W końcu wzrusza ramionami.

– Język. Słowa. Nie, nie uczenie. Może kiedyś coś napiszę.

– Poezja?

Kręci przecząco głową.

– Opowiadam mojemu siostrzeńcowi różne historie, kiedy go odwiedzam. O psie, który porozumiewa się w wielu językach. To mało poetyckie. Ale to dobra historyjka.

– Książki dla dzieci.

– To tylko marzenia.

– I dobrze. Wszyscy musimy je mieć.

– Na razie przynajmniej płacę rachunki.

Jeremy drgnął gwałtownie. On płaci jej rachunki. Bezceremonialny sposób przypomnienia, że to nie randka. Czy tak wyszedł z wprawy, że już nie jest w stanie stwierdzić, kiedy kobieta może być nim zainteresowana? Zanim poznał Danę, wiedział, jak może zdobyć kobietę – po prostu zwracał na nią uwagę. I był przystojny. Teraz, dziesięć lat później, chyba niewiele się zmieniło – nawet jeśli jego włosy lekko posiwiały i przybrał trochę na wadze. Kobiety nadal na niego zerkają i czasem nawet starają się go oczarować. Nigdy nie reaguje na te flirty – prowadzi życie, jakiego się nie spodziewał, ma kobietę i dziecko, które kocha.

Nic się nie zmieniło, powtarza sobie. To ten tydzień w Paryżu tak go zmylił. Po prostu sprzeczka z Daną zeszłego wieczoru – a rzadko się kłócili – tak go zdenerwowała.

* * *

Wracali do domu o drugiej w nocy, odrzucając propozycję podwiezienia przez Pascale, reżyserkę.

– Przejdziemy się! – zawołała Dana do tłumu wielbicieli stojących po drugiej stronie ulicy. – Chcę być sama z moim przystojnym mężem. Idźcie już sobie!

Przecznicę czy dwie dalej Dana wsparła się na ramieniu Jeremy'ego.

– Oto czego chcę – powiedziała. – Ciebie.

– To dlaczego w naszym życiu są inni? – spytał.

– To moja praca, kochany. Przecież wiesz. – Jej głos był senny i pijany; oparła się o niego mocno.

– Nie powinienem przyjeżdżać na plan. Za każdym razem czuję, że cię tracę.

– Nigdy tego wcześniej nie mówiłeś.

– Chcemy tak różnych rzeczy.

– Nie. Oboje chcemy tego samego.

Miała rację. Wiedział o tym za każdym razem, gdy byli w łóżku, gdy siedzieli naprzeciwko siebie przy małym stoliku w ogrodzie i otwierali butelkę wina. Ale w restauracji tamtego wieczoru Jeremy poczuł, że ożenił się z gwiazdą filmową. Chciał Dany, a nie hollywoodzkiej atrakcji.

– Mam pęcherz na pięcie. – Dana schyliła się i potarła kostkę. – Nie mogę chodzić w tych cholernych butach.

– Poszukajmy taksówki.

– Nie, przejdźmy się. Za dużo wypiłam. Możemy iść nabrzeżem. Paris-Plage wita lato. Pójdziemy promenadą. Zbudujemy zamek z piasku. Będziemy udawać, że jesteśmy na plaży.

– To daleko. Rozbolą cię nogi.

– Mam to gdzieś. Jutro będę miała kaca i zmasakrowane stopy. Dziś mam głowę na twoim ramieniu.

Jeremy objął ją.

– Nie chcę, żebyś się mną zmęczył – powiedziała cicho.

– Męczy mnie hałas.

– Jaki hałas? – Zatrzymała się i odsunęła od niego. Twarz jej stężała, ściągnęła but i usiłując utrzymać równowagę na jednej nodze, wyginała zapiętek.

– Zniszczysz go sobie.

– Hałas? O czym ty mówisz? – spytała ponownie.

– Potrzebuję ciszy. Twoje życie jest zbyt głośne.

Rzuciła w niego pantoflem. Miał ochotę się roześmiać – była taka mała i pełna furii. Złapał but, jakby łapał granat i odrzucił go.

– To się zdarza kilka razy do roku – powiedziała podniesionym głosem. Ktoś zatrzasnął okno nad nimi. – Kręcę film, mam kocioł, a potem wracam do domu, jest po wszystkim i mamy nasz wspólny świat. To tutaj nie jest moim życiem, tylko pracą. Ty jesteś moim życiem, do cholery. O co ci chodzi?

Wpatrywał się w nią pełen zdumienia. Wyobraził ją sobie na ekranie, te emocje, pełne szaleństwa oczy, ochrypły głos.

– Nie musisz krzyczeć – powiedział spokojnie.

– Muszę! – wrzasnęła. Wepchnęła stopę w but i odmaszerowała. Ruszył za nią.

Nawet poza ekranem jest pełna dramatyzmu i aktorstwa, pomyślał. Poczuł się zmęczony i zły na siebie, że zrobił z byle czego wielką sprawę. Wyobraził sobie Chantal, która gdzieś w Paryżu czyta przy oknie książkę i słyszy gniewne krzyki małżeństwa na ulicy. Cicho zamknęłaby okno.

– Już jesteśmy – Chantal wskazuje wyłaniające się przed nimi muzeum.

– *Bon* – stwierdza Jeremy i przechodzą na drugą stronę ulicy do Musée National d'Histoire Naturelle. To odnowiony stary budynek, częściowo zakryty krzykliwie niebieską płachtą informującą o wszystkich wystawach w Jardin des Plantes. Kierują się do Grande Galerie de l'Évolution. Za muzeum widać ciągnący się daleko trawnik i zadbanc ogrody.

Wewnątrz na wpuszczenie czeka kolejka uczniów. Nauczyciele są przy kasie i sprzcczają się ze sprzedawcą, a dzieci stoją posłusznie w parach, przestępują z nogi na nogę i cicho rozmawiają.

– Amerykańskie dzieci biegałyby wokoło – mówi Jeremy. – To niesamowite. Nauczyciele nie muszą ich nawet dyscyplinować.

– Och, przestrzegamy tak wielu zasad, dopóki nie mamy dość. W okolicach dwudziestki buntujemy się niczym mustangi na krótkim powrozie.

– A ty? Buntowałaś się?

– Nie. Jeszcze nie.

Oboje uśmiechają się, a gdy ona się szybko odwraca, bagietka w jej torbie uderza Jeremy'ego w głowę. Dzieci wybuchają śmiechem, a Chantal spogląda na Jeremy'ego i pąsowieje.

– Bardzo przepraszam.

– Przeżyję. Jeśli będę miał jutro podbite oko, wymyślę lepszą historyjkę.

– Powiesz żonie, że cię uderzyłam.

– Czy dałem ci dobry powód?

– O tak.

Chantal idzie kupić bilety. Jeremy zerka na zegarek. Za kwadrans jedenasta. Mają tylko czterdzieści pięć minut do spotkania z Lindy w kawiarni. Dzwoni do niej. Dziewczyna nie odbiera komórki, więc nagrywa jej wiadomość.

– *Bonjour, chérie* – mówi radośnie. Będzie zaskoczona. Lindy tak samo jak jej matka swobodnie posługuje się francuskim. Dobra prywatna szkoła, letni obóz w Aix-en-Provence w czasie liceum. Jeremy dalej mówi po francusku. – Spotkajmy się w meczecie. To naprzeciwko wejścia do ogrodu botanicznego, Jardin des Plantes, w 5. dzielnicy. Nie przeoczysz. W środku jest herbaciarnia. Nie mogę się doczekać spotkania, słonko. Zajrzałem dziś rano, kiedy spałaś. Ta… – Nie ma pojęcia, jak określić ogoloną głowę. Najnowsza fryzura? Ostatni bunt? Kaszle i rozłącza się.

Nie wspomniał Danie o ogolonej głowie. Będzie wściekła, jak się dowie.

– *On y va* – mówi Chantal. Bierze go pod ramię, czego wcześniej nie robiła, i prowadzi do sali muzealnej.

Gdy przechodzą przez drzwi, Jeremy oddycha głęboko. To wspaniała przestrzeń, ogromna i otwarta, ciemna, a jednak niesamowicie pociągająca. Na parterze, gdzie jest główna ekspozycja, widzi naturalnych rozmiarów dostojne i eleganckie słonie, żyrafy, zebry. Napawa się ich pięknem. On i Chantal idą przed siebie i podnoszą wzrok. Czterokondygnacyjny budynek jest w środku otwarty, jakby zwierzęta potrzebowały przestrzeni.

Jeremy'ego rozproszył lekki dotyk dłoni Chantal na jego przedramieniu. Zupełnie jakby cała jego energia i uwaga spłynęły do tej części ciała. Czuje tam ciepło i wyobraża sobie, że jej dłoń zostawia na jego skórze odcisk. Chantal coś mówi, a on nie słucha.

– Przepraszam. Co mówiłaś?

Patrzy na niego zaskoczona. Rzeczywiście, dotąd był uważny.

– Było jakieś słowo, którego nie zrozumiałem – tłumaczy się nieudolnie. – I się zgubiłem.

– Znajdę cię – uśmiecha się Chantal. – Może zgubiłeś się z pingwinami.

Jeremy patrzy w prawo i napotyka spojrzenia pingwinów.

Jej dłoń zsuwa się z jego ramienia i Chantal podchodzi do szeregu zwierząt. Pokazuje każde i podaje jego nazwę, powoli, jakby Jeremy nie tylko się zgubił, ale i był mało pojętny.

Jeremy śmieje się. – Czuję się, jakbym przyszedł tu z tą klasą szkolną.

– Nie jesteś tak grzeczny.

– To się już nie zmieni.

Ale to nieprawda – Jeremy nie zachowywał się niegrzecznie od lat. Jest idealnym partnerem dla Dany. Ich pierwsze, przypadkowe, spotkanie zmieniło go; wiedział o tym już pod koniec dnia, gdy powiedział jej: „Chodź ze mną do domu".

* * *

Pracował w Bel Air, odnawiając bibliotekę zbudowaną w 1901 roku i zaniedbywaną od ponad stulecia. Właściciel ostrzegł go, że wynajął dom ekipie filmowej, ale do biblioteki nie mają wstępu. Nikt nie powiedział o tym Danie, która przywędrowała tam, podczas gdy reżyser pracował nad sceną bez jej udziału.

Cicho obeszła bibliotekę, podeszła do drabiny Jeremy'ego i przyglądała się jego pracy. Mocował delikatnie rzeźbiony gzyms do wbudowanej biblioteczki. Replikę wykonał na podstawie starych zdjęć. Kilka tygodni zajęło mu wyrzeźbienie i wykończenie zdobionej misternym ażurem części z jednego kawałka mahoniu.

Zerknął na nią i wrócił do swojej pracy.

– To bardzo piękne. Mieszka pan tu?

– Nie. Mieszka tu jakiś aktor. Ktoś, kto ma wystarczająco dużo pieniędzy i gustu, żeby ocalić ten dom, zamiast go zburzyć.

– Nie wie pan, o kogo chodzi?

– Nie wiem za wiele o tym świecie.

Jej twarz rozjaśniła się uśmiechem.

– Jestem Dana Hurley – przedstawiła się.

– Jeremy Diamond – odpowiedział, schodząc z drabiny.

– Ma pan ochotę na kieliszek szampana? Mogę go przynieść. A może coś do jedzenia?

– Pracuje pani przy filmie?

– Jestem aktorką.

– Najwyraźniej jestem jedynym człowiekiem w Ameryce, który o pani nie słyszał.

– Mogę się tu z panem schować? – Nadal się uśmiechała.

– Tak.

Odłożył dłuto oraz drewniany młotek i wytarł dłonie. Usiedli w fotelach klubowych ustawionych pod oknami wykuszowymi i długo rozmawiali.

– To mógłby być nasz dom – powiedziała w pewnym momencie Dana.

– Zbudowałbym nam znacznie ładniejszy.

W ciągu pierwszych kilku tygodni od poznania Dany przekonał się, że jest gotów zrezygnować z krótkotrwałych związków i przelotnych przygód. Dana dawała mu znacznie więcej niż inne kobiety, z którymi się wcześniej umawiał. A potem pojawiło się coś nowego: prawdziwa miłość, odpowiedzialność, troska o drugą osobę. Ojcostwo – to również go odmieniło i sprawiło, że nie chciał już innego życia.

– A co to takiego? – Jeremy znów będzie dobrym uczniem, więc wskazuje na jakieś szczurowate stworzenie skaczące obok pełnej wdzięku łani.

Chantal podaje mu słowa, których nigdy nie użyje, a on myśli o swoim psie i opiekunce, która obiecała wyprowadzać go na długie spacery po wzgórzach. Jeremy też marzy o takim parogodzinnym spacerze. Zbyt długo przebywa w mieście. Te zwierzęta przypominają mu, że potrzebuje powietrza, przestrzeni, ruchu. Wszystko w tym pięknym muzeum jest nie tak. Zwierzęta są tu uwięzione.

– Chodźmy stąd – mówi Chantal.

Jeremy zerka na nią. Tak łatwo go przejrzeć?

– Ogród jest uroczy – dodaje, jakby potrzebował zachęty.

Rozciąga się przed nimi Jardin des Plantes. Mijają rozmaite ekosystemy, a Chantal podaje mu francuskie nazwy kwiatów, drzew, dzikich paproci. Główną aleją tego ogromnego parku, za nauczycielami, idą dzieci w dwóch równych kolumnach. Powietrze przesycone jest leśnymi zapachami i Jeremy, swobodnie oddychając, przypomina sobie wieczór w Kostaryce po spływie pontonami. Obozowali w dżungli na brzegu rzeki i nad ogniskiem piekli ryby zawinięte w liście bananowca. Lindy powiedziała Jeremy'emu, że zadurzyła się w przewodniku, szczupłym i silnym młodzieńcu o ciemnej karnacji, który nauczył ich kręcić pontonem na bystrzach. „Nie mów mamie, że on mi się podoba", poprosiła. „Nie powiem", obiecał, przytulając ją. Pierwszy raz zdradziła mu tajemnicę. Zachował ją jak nadzwyczajny prezent.

– Chciałabym kiedyś wyprowadzić się z miasta.

Jeremy jest zaskoczony. Chantal tak niewiele mówiła dotąd o swoim życiu.

– To dlaczego tego nie zrobisz?

– Mój chłopak kocha Paryż. Chociaż dziś rano powiedział mi, że myśli o przeniesieniu się do Londynu.

– A ty? – Stara się zignorować ukłucie zazdrości. Oczywiście, że ona ma chłopaka. Poza tym jakie to ma znaczenie?

– Spędzam dużo czasu w tym ogrodzie. To moje ulubione miejsce.

Jeremy patrzy wokół siebie. Chce wiedzieć, dlaczego podoba jej się akurat tutaj, ale nie spyta o to. Sądzi, że poznając ten ogród, uda mu się poznać Chantal.

– Przeniesiesz się do Londynu ze swoim chłopakiem?

– Widziałam dziś rano, jak całował inną. Wydaje mi się, że zasługuję na lepszego chłopaka.

Niebo ciemnieje, potem błyska bielą i prawie natychmiast rozlega się pomruk grzmotu.

– Chodźmy do środka – proponuje Chantal.

– Nie. Schowamy się pod drzewami. Popatrzymy na burzę.

Spogląda na niego zaskoczona, ale zaraz twarz jej się rozjaśnia. Słyszą piski dzieci, które w popłochu biegną do najbliższej hali wystawowej.

Jeremy bierze Chantal za rękę i prowadzi pomiędzy drzewa. Przechodzą nad barierką, lekceważąc tabliczkę z napisem „Zakaz wstępu!", „*Interdit!*". Deszcz uderza w kark Jeremy'ego. I już są pod osłoną gęstej warstwy liści i gałęzi.

Burza szaleje. Niebo jest nieomal czarne, jakby dzień zamienił się w noc. Pioruny trzaskają nieprzerwanie. A deszcz! Istna ściana wody, głośno opadająca na ścieżki, trawnik, na dach z koron drzew nad ich głowami.

Chantal przywiera do boku Jeremy'ego, jakby była przestraszona. Ale po jej twarzy widać, że jest zachwycona burzą. Jeremy uśmiecha się sam do siebie, zadowolony, że nie schowali się w budynku.

W końcu znikają słowa, nawet mieszanka francusko- -angielska. Jest tylko wiatr smagający drzewa i głośny szum deszczu.

Jeremy czuje zapach szamponu Chantal – chyba mandarynkowego. Wdycha go.

* * *

Zeszłej nocy, około trzeciej nad ranem, kochał się z Daną, kiedy wrócili po ulicznej sprzeczce. Pokonali pieszo drogę z Marais od hotelu nieopodal St. Sulpice.

– Potrzebuję cię – wyszeptała. Spiorunował ją wzrokiem. Myśli o seksie czy o nim? Pchnął ją na łóżko i trzymając za ramiona, położył się na niej.

– Czego potrzebujesz. Powiedz.

– Ciebie.

– Seksu.

– Ciebie.

– Nie potrzebujesz mnie. – Nachylił się, ich pocałunek był pełen pożądania i gniewu. Przywarli do siebie, zaplątując się w pościel, i Jeremy poczuł na szyi usta Dany, jej ostre zęby. Przyciągali się i odpychali, walcząc o to, które znajdzie się na górze. Nigdy wcześniej nie zachowywali się tak brutalnie. Do tej pory ich współżycie było pełne czułości, bliskości, zawsze patrzyli sobie w oczy. Tym razem ich spojrzenia prawie się nie stykały.

Orgazm Jeremy'ego wydawał się nie kończyć. A potem Dana wzięła jego dłoń i wcisnęła ją sobie pomiędzy nogi. Trzymała ją i ocierała się, a jej ciało rozpaczliwie potrzebowało rozładowania napięcia. Szczytując, zawołała jego imię.

– Dobrze się czujesz? – spytał, gdy już ułożyli się do snu zwinięci w kłębek i wtuleni w siebie.

– Muszę wrócić do domu, do ciebie – wyszeptała.

Burza skończyła się równie nagle, jak się zaczęła. Chantal odsuwa się od Jeremy'ego, a on musi gwałtownie wciągnąć w płuca powietrze, bojąc się, że upadnie bez niej u boku.

– *Merci* – mówi z prostotą Chantal.

– *Avec plaisir* – uśmiecha się Jeremy.

– *Regard.* – Chantal wskazuje na ogród. Promienie słońca oświetlają bujną zieleń, igrając w kroplach deszczu. Wszystko wygląda, jakby dopiero rozkwitło. Zupełnie jakby wcześniej nie widział tego miejsca.

W milczeniu idą ostrożnie po mokrej trawie i przechodzą nad barierką na ścieżkę. Chantal podnosi zamkniętą parasolkę i śmieje się.

– Cóż to za głupi przedmiot.

– Chciałbym tu zostać, ale musimy spotkać się z moją córką. – Jeremy nie ukrywa w głosie żalu.

– Oczywiście.

– Poprosiłem Lindy, żeby spotkała się z nami po drugiej stronie ulicy, w meczecie – przerywa, sprawdzając jej reakcję. – Jeśli nie masz nic przeciwko temu.

– To bardzo dobry pomysł. Właśnie to bym zaproponowała.

Jeremy czuje wzbierającą dumę, jakby napisał klasówkę na szóstkę. Zadurzyłem się jak uczniak, myśli. Ale ze mnie głupiec.

A jednak czuje pewną pociechę z faktu nazwania tych dziwnych doznań, które mu dzisiaj towarzyszą.

Nagle zastanawia się, czy Lindy tamtej nocy spała z przewodnikiem. Następnego dnia, na lotnisku w San Jose, popłakiwała przed wejściem do samolotu i nie chciała rozmawiać z matką. Gdy Dana poszła do toalety, Lindy wyszeptała do Jeremy'ego: „Chcę zostać z Paco. Nie mogę go opuścić". „Czy to miłość?", spytał, uśmiechając się i całując ją w czubek głowy. „Oczywiście że to miłość!", krzyknęła i odmaszerowała z oburzeniem.

Jeremy zastanawia się, dlaczego nazwanie uczucia daje mu tyle mocy.

Chantal zerka na zegarek.

– Już prawie jedenasta trzydzieści. Jestem jedyną punktualną osobą w całym Paryżu.

To cieszy Jeremy'ego. Dana oczywiście zawsze się spóźnia – spotkanie się przedłużyło, nie przyszedł fotograf, reżyser zażądał dwudziestu dubli tej samej cholernej sceny. Jeremy na ogół zabiera książkę, gdy się z nią umawia. I liczy się z tym, że będzie musiał czekać. Kiedy w końcu się pojawia, zapomina zazwyczaj o rozdrażnieniu, bo żona zaczyna opowiadać mu swój dzień. A jej dni są pełne różnych historyjek – jakby Dana otwierała okno i wpuszczała świat do jego ciszy i spokojnej pracy.

Idą szybko do wyjścia z ogrodu. Jeremy oddycha ciężko, chociaż nic nie zapowiada powrotu burzy. Niebo jest czyste, chmury zniknęły. Chantal przewiesiła torbę na drugie ramię i teraz uderza nią o jego biodro, a on nie czuje już bliskości jej ciała.

– Jeremy! – krzyczy Lindy, gdy docierają do bramy Jardin des Plantes. Pędzi przez ulicę i rzuca się w jego objęcia, zanim w ogóle zdąży się jej przyjrzeć. Ściska go mocno, a on się radośnie śmieje. Jego dziecko – nie ma co do tego najmniejszych wątpliwości, choć spędziła z nim tylko połowę swojego życia. Wybrała go, a to lepiej niż ma większość ojców.

– Jesteś piękna. – To prawda: szokująco łysa głowa sprawia, że jej zielone oczy są jeszcze bardziej błyszczące. I ten promienny uśmiech.

– *En français!* – łaje go. A potem zwraca się do Chantal i podaje jej rękę. – *Je m'appelle Lindy.*

– *Chantal. Enchantée.*

– Czy on naprawdę mówi po francusku? – pyta konspiracyjnym szeptem po francusku, jakby Jeremy'ego nie było koło nich.

– Bardzo dobrze. Tak jak ty.

– *Bof.* Zapomniałam już połowy. Muszę ćwiczyć. Muszę mieć francuskiego chłopaka. To by pomogło.

– Możesz zabrać mojego – odpowiada Chantal.

Jeremy patrzy na nią – jej uśmiech nie jest wymuszony, a on czuje, że stracił kontrolę nad tą babską rozmową.

– Poszukamy herbaciarni? – pyta po francusku.

– Och, brzmisz inaczej po francusku! – wykrzykuje Lindy.

– Jak to?

– Nie wiem. Jesteś taki… seksowny.

– Najwyraźniej nie jestem seksowny po angielsku – Jeremy tłumaczy Chantal.

– Nie, to nie to – zaprzecza Lindy. – Brzmisz jak zupełnie obca osoba. Mógłbyś być kimkolwiek.

– Nie twoim ojczymem.

– Mój ojczym nie chodziłby po mieście z piękną młodą Francuzką.

Chantal szybko odwraca wzrok.

– Lindy… – zaczyna Jeremy, ale urywa. Uśmiech dziewczyny wygląda na przebiegły. Ale Lindy naprawdę jest bezpretensjonalna, mimo całego blichtru i przepychu, jaki wiąże się z życiem jej matki. Zawsze była szczera.

– To nauka języka francuskiego – tłumaczy Jeremy cichym i poważnym głosem.

– Ależ oczywiście – odpowiada Lindy.

Już są po drugiej stronie ulicy i wchodzą do meczetu. To mauretański budynek z imponującym minaretem, z zewnątrz cały biały i kuszący chłodem. Przechodzą przez znajdującą się przed budynkiem kawiarnię i zmierzają na dziedziniec. Jest przepięknie wyłożony płytkami, a stoliki rozstawiono pomiędzy figowcami i fontannami. W tle sączy się arabska muzyka; Jeremy czuje zapach kadzidła. Ma wrażenie, że przeniósł się do Maroka, i przypomina sobie wyjazd z Daną na plan filmowy w Marrakeszu. Któregoś wieczoru spacerowali po medynie i chociaż Dana była ubrana w dżinsy i tunikę, wszyscy mężczyźni się za nią oglądali. Jeremy nawet przez moment nie stracił czujności, pilnując jej i spodziewając się kłopotów, gdy kupowała błyskotki, nieświadoma poruszenia, jakie wywołuje. Wieczorem był wyczerpany, ale dziwnie zadowolony – okazało się, że jest jej potrzebny.

– *Une table pour trois, monsieur?* – pyta kelner. Zaskoczony Jeremy podnosi na niego wzrok. Młodzieniec wydaje się przesadnie zadowolony na widok dwóch młodych kobiet u jego boku.

– *Oui. S'il vous plait.*

Kelner prowadzi ich do stolika na skraju dziedzińca. Siadają obok fontanny i nagle hałas spadającej wody, śpiewnych inkantacji i, o dziwo, skrzeczenia ptaka, który utknął na dziedzińcu, sprawia, że Jeremy'ego ogarnia klaustrofobiczne uczucie. Powinien był wybrać miejsce na zewnątrz.

Kelner mówi coś szybko i Jeremy patrzy bezradnie na Chantal.

– Nie – odpowiada kelnerowi korepetytorka. – Poprosimy tylko coś do picia.

Usadawiają się i wciskają torby z zakupami pod stolik. Jeremy dostrzega, że bagietka jest nasiąknięta deszczem. Podnosi wzrok i widzi, że Lindy mu się przygląda.

– Opowiedz mi o swoich przygodach – prosi ją.

– Cóż… – zaczyna Lindy, ale już pojawia się kelner, którego Jeremy znów nie rozumie. Może hałas jest temu winien? Czy to arabski akcent? Zapada cisza. Chantal zamawia herbatę. On bierze to samo. Lindy wybiera lemoniadę ze świeżo wyciśniętej cytryny, *citron pressé*.

– Hiszpania? Portugalia? – dopytuje się Jeremy, gdy kelner znika.

– A jak ty sobie radzisz na lekcjach francuskiego? Czego się uczysz? Koniugacja? Czasowniki niedokonane?

Patrzy to na niego, to na Chantal. W oczach ma psotny błysk, jakby z niego drwiła.

– Lindy – Jeremy zwraca jej uwagę cichym głosem.

– Jeremy i ja rozmawiamy o tym, co widzimy podczas spacerowania po Paryżu. Uczę go nowych słów. Poprawiam błędy. Zachęcam do powtarzania tego, co już poznał.

Chantal jest zadziwiająco spokojna, jakby często stawiała czoło irracjonalnie zachowującym się dwudziestoletnim łysym córkom. Jeremy zaczyna się odprężać.

– Fajnie. – Sposób, w jaki Lindy to mówi, świadczy o tym, że wcale tak nie uważa.

– Dana wymyśliła dla mnie te zajęcia – tłumaczy Jeremy. Nie wspomina, że to prezent z okazji ich rocznicy ślubu.

– Bardzo szlachetnie z jej strony.

Szlachetnie, myśli Jeremy. Zadziwia go francuski Lindy. Ona też go zadziwia – stała się wyrazistą kobietą z ciętym językiem.

– Opowiedz o swoich podróżach – nakłania ją.

– Cóż, wróciłam. Wszystkie drogi prowadzą do domu.

– Przecież nie jesteś w domu – mówi Jeremy.

– Jestem z tobą, czyli w domu.

Ściska dłoń Lindy, a ona wzdryga się, ale nie cofa ręki. Jednocześnie Jeremy widzi, że córka zerka na Chantal.

Przychodzi kelner i stawia przed nimi filiżanki, a przed Lindy lemoniadę. Ceremonialnie nalewa Chantal herbatę, ale zostawia dzbanek przed Jeremym, żeby sam się obsłużył.

– Widziałaś się dziś rano z mamą? – pyta Jeremy.

Dana spała, gdy wychodził na zajęcia. Na planie miała pojawić się dopiero późnym popołudniem – dziś kręcą wieczorne sceny na Pont des Arts. Obiecał, że przyjdzie popatrzeć, chociaż nie robił tego często. Ale jutro jest ich rocznica ślubu i musi jej wynagrodzić wczorajszą kłótnię. Zanim Lindy zadzwoniła z informacją, że przyjeżdża w środku nocy, planowali wybrać się pociągiem do Chantilly i zwiedzać *chateau*, zamek. Ale teraz Dana chce zostać i we trójkę chodzić po mieście. „Nie miałam okazji pospacerować po Paryżu – powiedziała wczoraj. – Tylko ty się dobrze bawisz".

– Spała – odpowiada Lindy. – Moja mama jest aktorką – wyjaśnia Chantal.

– Tak, słyszałam.

– Mówiłeś o niej? – Lindy pyta Jeremy'ego.

– Chantal uczyła mnie francuskiego nazewnictwa z dziedziny filmowej i okazało się, że znam więcej słów dotyczących gotowania.

– Mama mogła cię ich nauczyć.

Jeremy patrzy na stojącą przed nim filiżankę. Ma nieprzyjemne wrażenie, że lekcje francuskiego już się skończyły. On i Chantal pracowali codziennie do trzeciej. Czy powinni dzisiaj rozstać się wcześniej? Ale to ich ostatnie spotkanie. Chce zacząć od nowa. Powiedziałby Lindy, że mogą zobaczyć się dopiero późnym popołudniem, bo cały dzień będzie zajęty. Ale oczywiście nigdy nie był zbyt zajęty, by nie mieć czasu dla córki.

– *Alors*, mama spała i nie chciałam jej budzić. Zostawiła mi kartkę z wiadomością, żebyśmy spotkali się na Pont des Arts o szóstej dziś wieczorem.

– Popatrzymy, jak filmują kilka scen – mówi Jeremy. – Powinno być fajnie. – Kłamie; nigdy nie jest fajnie. Trzeba czekać, jest nudno, a każda scena jest wyjęta z kontekstu i nie wiadomo, co się dzieje. Lindy zwykle nie znosi przebywać na planie, jeśli nie ma na nim jakiegoś seksownego młodego aktora. A nawet wtedy okazuje niezadowolenie, bo znacznie częściej uwaga młodzieńca koncentruje się na jej matce niż na niej.

Zeszłego lata zdecydowała się zostać aktorką teatralną. Twierdzi, że to poważniejsze zajęcie. Jeremy martwi się, że w teatrze jeszcze trudniej odnieść sukces. Chciałby, żeby córka znalazła sobie mniej stresujące zajęcie, w którym w mniejszym stopniu spotykałaby się z odmową, krytyką czy wieczną rywalizacją. Jeremy widzi, że Lindy nie jest taka sama jak jej matka, i niepokoi go jej wybór.

– Czy ona też będzie?

Jeremy patrzy na nią zdezorientowany. Lindy ruchem głowy wskazuje na korepetytorkę. Czy Chantal przyjdzie na plan filmowy Dany? Oczywiście, że nie.

Ale to Chantal odpowiada.

– Nie. Jestem umówiona ze znajomymi po skończeniu zajęć.

– *Quel dommage*, Jaka szkoda – mówi Lindy.

Jeremy zastanawia się, co zdarzyło się podczas wycieczki po Europie – Lindy zrobiła się twarda i ostra, nie znał jej takiej.

Kelner stawia przed nimi talerz z ciasteczkami. Mówi coś do Chantal, ale Jeremy nie rozumie ani słowa. Złożyli takie zamówienie czy kelner popisuje się przed dwiema młodymi kobietami? Chantal mu dziękuje. Jeremy popija herbatę. Jest zaskoczony jej słodyczą.

Gdy kelner odchodzi, Chantal pyta Lindy, gdzie ta podróżowała.

– Byłam w klasztorze. Na południu Francji.

Kłamie? W mailach pisała, że kupiła kartę Eurail Pass i z przyjaciółmi podróżują po Hiszpanii i Portugalii. Z kolei podczas rozmów telefonicznych wspominała o hostelach studenckich, plażowych imprezach, zgubieniu się w Lizbonie. Gdy pytał, co to za hałas w tle, odpowiadała, że jest w pizzerii i ktoś akurat ma tam przyjęcie urodzinowe. Klasztor?

Lindy nie patrzy na niego. Tę historię opowiada Chantal. On jest obcym, który przypadkiem przysłuchuje się ich rozmowie.

– Rzuciłam college w marcu. Nie wiedziałam, po co studiuję. Żeby nauczyć się czego? Ochrony środowiska? Literatury lat sześćdziesiątych? Super, ale co z tego? Nie chodzi mi o to, że musiałam dowiedzieć się, kim będę, jak dorosnę, tylko dlaczego muszę się uczyć. Żeby zdać test? Dostać piątkę? Sprawić przyjemność tacie?

– Nie – przerywa jej Jeremy. – Nigdy na ciebie nie naciskałem…

– Och, to nie ma z tobą nic wspólnego. – Lindy zbywa go machnięciem ręki. – Z tobą jest prosto. Kochasz mnie bez względu na wszystko.

– To ważne – mówi Chantal – jeśli ktoś cię obdarza bezwarunkową miłością.

Jeremy patrzy na nią; musi słyszeć głos Chantal. Nawet francuszczyzna Lindy, bardzo dobra, zmusza go do dużego wysiłku. A tak ważne jest, żeby to zrozumiał, żeby nic mu nie umknęło. Po raz pierwszy ma ochotę powiedzieć: Mówmy po angielsku. Nie rozumiem. Klasztor?

Ale milczy, a Lindy dalej trajkocze.

– Och, to nie ma nic wspólnego z tym, kto mnie kocha. Jest takie zdjęcie z mojego dzieciństwa – siedzimy razem z mamą na kanapie w naszym starym domu i ona patrzy na mnie z matczynym oddaniem. I co? Jej menedżer przyszedł któregoś wieczoru na kolację, zabrał to zdjęcie, wyciął jej twarz i dał ten pełen uwielbienia wizerunek matki na okładkę jakiejś głupiej gazety. Teraz ona uśmiecha się do całego świata. Mnie na tym zdjęciu nie ma.

– Więc jednak chodzi o miłość – Chantal drąży swój temat.

– Nie. Chodzi o moje zniknięcie. Bach, nie ma mnie, jestem nikim, jestem każdym. Jestem w college'u, w Hiszpanii. Jestem w klasztorze.

– Mogłaś ze mną o tym porozmawiać – mówi cicho Jeremy.

– Musiałam zamilknąć. Mnóstwo słów. Można nimi zapełnić godziny. A kiedy przestajesz mówić, czas zamiera. Siedzisz i wszystko się otwiera, i po raz pierwszy słyszysz swoje myśli.

Przestają mówić, ale Jeremy ma wrażenie, że jego umysł się zamyka. Słyszy w nim tylko niski brzęczący dźwięk, jakby nic się tam nie działo, jakby brakowało łączności, jak radio, które nie może znaleźć żadnej stacji.

– Wydaje mi się, że cię rozumiem – stwierdza Chantal.

Jeremy patrzy na nią błagalnie. Pomóż mi, chce powiedzieć. Pragnie zrozumieć córkę, poznać Chantal. Ale problem nie dotyczy słów. Każde jest w stanie przetłumaczyć.

W ciszy, po drugiej stronie dziedzińca, słychać brzęk. Przestraszony Jeremy podnosi wzrok – to filiżanka wysunęła się kelnerowi z ręki – przez chwilę zapomniał o reszcie świata, o tym zakątku Paryża, o miętowej herbacie stojącej przed nim na stole.

– Ktoś powiedział mi o klasztorze pod Arles. Pojechałam z koleżanką, ale ona odpadła po tygodniu. Ja zostałam na dwa miesiące. – Urywa i uśmiecha się. – Może dlatego tyle mówię.

Jeremy kładzie jej rękę na ramieniu.

– Ja cię słucham.

– Nikt nigdy mi nie powiedział, że muszę być taka jak mama. – Uśmiecha się do ojca najsłodszym uśmiechem, jaki dotąd u niej widział. A potem zwraca się do Chantal. – Moja matka to żywioł. Ja taka nie jestem.

Ostatnie słowa mówi do Jeremy'ego. On kiwa głową i całuje ją w policzek. Lindy pachnie jak dorosła kobieta. Może to nowe francuskie mydło albo perfumy, które kupiła. Przez chwilę tęskni za młodszą Lindy, tą bez ogolonej głowy, błysku gniewu w oku i bez skomplikowanego poszukiwania siebie. Ale dorastał razem z nią. On też jest już kimś innym. Dziesięć lat temu pokochał Danę i jej córkę. Po pięciu latach ich wspólnego życia wydawało mu się, że już ma wszystko ułożone – był ich oparciem, tym, który spajał rodzinę. A teraz nie jest niczego pewien. Zaledwie wczoraj słuchał, jak Dana opowiada długą historię o ich wyjeździe do Argentyny – weszli na szczyt Andów, chmury się rozsunęły, a świat pokazał im się w pełnym blasku. Jeremy myślał: Czy ja się w niej zatraciłem?

– Chyba spodobałby mi się ten klasztor – mówi.

– Jedzenie było do dupy – kwituje Lindy po angielsku i znowu brzmi jak dziecko. Wpycha sobie ciasteczko do ust.

Chantal patrzy na Jeremy'ego znad filiżanki. W jej oczach widać rozbawienie, jakby wybaczyła dziewczynie jej grubiaństwo. Jeremy chce ją spytać, czy jest blisko ze swoimi rodzicami. Czy zwierza się im z tajemnic sercowych? Mimo że Lindy coś mu zdradza – parę informacji o tym, co się z nią działo przez kilka ostatnich miesięcy – tak naprawdę przekazuje mu: Już nie jestem twoja. Już nie wiesz o mnie wszystkiego.

– Kiedy miałam dwadzieścia jeden lat, przeniosłam się na jedną z wysp Oceanu Indyjskiego – mówi Chantal. Przesuwa wzrok z ojca na córkę. – Chciałam czegoś, nie wiem, czegoś innego niż to, co miałam. – Jeremy zauważa, że Chantal po raz pierwszy nie może znaleźć słów. – Wiecie, co odkryłam, żyjąc w hippisowskiej komunie na plaży, bez bieżącej wody i elektryczności? Że jestem paryżanką.

Jeremy usiłuje sobie wyobrazić Chantal w eleganckim kardiganie, z parasolką, malutkimi kolczykami z perełek, tę uroczo opanowaną kobietę. Mieszkała w namiocie na plaży? Uśmiecha się na samą myśl.

– Śmiejesz się ze mnie? – mówi Chantal.

– Nie, ani trochę. Wróciłaś do domu?

– Nie od razu. Ale czasami trzeba uciec od samej siebie, żeby się odnaleźć.

Kilka dni temu Chantal i Jeremy spacerowali podczas lekcji po parku Monceau. Nieopodal budki z naleśnikami jakaś para głośno się kłóciła. *„Je suis Américaine!"*, krzyczała kobieta. *„Je suis Américaine!"*. Jeremy opowiedział później Danie tę historyjkę. „Co dzieje się z tożsamością, jeśli tracisz kontakt ze wszystkim, co jest ci bliskie?", spytał. „Wiesz o sobie więcej", powiedziała z pełnym przekonaniem.

Nie ja, pomyślał wówczas. Wiem, kim jestem w swoim domu, w warsztacie, w łóżku z żoną. Kiedy szykuję kolację w kuchni.

Już teraz, po kilku dniach pobytu w Paryżu, z tą obcą kobietą u boku, Jeremy czuje się jak odcumowana łódź.

– Wrócisz do klasztoru? – Jeremy pyta córkę. Trochę obawia się odpowiedzi.

– Nie. Potrzebuję seksu.

– Oszczędź mi szczegółów – prosi Jeremy po angielsku, a obie kobiety wybuchają śmiechem.

Lindy nachyla się do Chantal, mówi coś do niej cicho i znów chichoczą. Jeremy po raz pierwszy odczuwa kaca. Ile butelek wina wypili zeszłej nocy? Potrzebuje jedzenia, snu, potrzebuje myśleć o czymś innym niż o córce uprawiającej seks. Sądzi, że spała z chłopakiem z liceum, choć ich związek trwał tylko miesiąc. Dana podejrzewała, że po tym zostali „łóżkowymi kumplami", co dla Jeremy'ego było okropne. W przeciwieństwie do większości znanych mu mężczyzn zawsze oprócz seksu pragnął miłości. Kiedy kocha się z kobietą w łóżku, powinien także kochać ją poza nim.

I to jego córka, dwudziestoletnia, piękna i zagubiona, szuka seksu. Jeremy wie, jacy mężczyźni wykorzystują takie dziewczyny, i to go przeraża.

– Umówiłam się ze znajomymi – mówi Lindy – na Champ de Mars. Urządzają piknik.

Jeremy wyobraża sobie piknik z Chantal. W torbie koło jego stóp są sery, pomidory, oliwki. Zastanawia się, co się stanie, gdy Lindy pójdzie.

Córka wstaje, nachyla się i cmoka go w policzki.

– *A bientôt.* – A potem dodaje coś po francusku, czego Jeremy nie rozumie. Ale Chantal uśmiecha się i kręci przecząco głową.

Lindy odchodzi szybkim krokiem. Powiedziała coś nieuprzejmego? Czy w ogóle powinien poprosić o przetłumaczenie jej słów?

– Piękna dziewczyna – stwierdza Chantal.

– Dziekuję – mówi głupio, bo przecież Lindy nie odziedziczyła urody po nim. – Przepraszam, jeśli…

– Nie, było w porządku.

On nawet nie wie, za co chciał ją przeprosić, ale teraz to już minęło. Lindy zniknęła. Filiżanki są puste.

Dziewczyny zjadły ciasteczka. Nawet jakimś cudem rachunek został zapłacony.

– *On y va* – mówi Chantal. I znowu ruszają w drogę.

Chantal prowadzi ich do Sekwany i przechadzając się po Musée de la Sculpture en Plein Air, ogrodzie pełnym nowoczesnych rzeźb, nie rozmawiają o sztuce, lecz o miłości.

– Tego ranka myślałem o pierwszej miłości Lindy – mówi Jeremy. – To był przewodnik na spływie w Kostaryce.

– Jak romantycznie.

– W ciągu jednego dnia romans zamienił się w złamane serce – wyjaśnił. Jego myśli skaczą do seksu z Daną zeszłej nocy. Ból, miłość, pożądanie – czasami jest to transakcja wiązana.

– Opowiedz mi o swojej pierwszej miłości.

– O mojej pierwszej miłości?

– Proszę. Jestem bardzo ciekawa.

Więc opowiada prostą francuszczyzną, ponieważ uciekły mu wszystkie słowa. Gdy idą nieśpiesznie wzdłuż rzeki, rozmawiają najromantyczniejszym językiem świata. Obok nich jakiś fotograf robi zdjęcia parze Azjatów w strojach ślubnych. Mała dziewczynka w różowej sukience i z bukiecikiem kwiatów chowa się za panną młodą. To urocza scena, z kamienną ścieżką spacerową, leniwie płynącą rzeką i górującą w tle Notre Dame na Île de la Cité. Powietrze jest ciężkie od wilgoci i wydaje się, że czas zwolnił.

– Poznałem dziewczynę na letnim obozie. Miałem trzynaście lat, ona szesnaście i była znacznie wyższa ode mnie. Włosy splatała w długi warkocz, który sięgał jej do pasa i opadał na plecy niczym gruby sznur. Była pływaczką i obserwowałem, jak się ściga po naszym jeziorze w New Hampshire. Uważałem, że jest najpiękniejszą dziewczyną na świecie.

– Czy to była miłość? Czy... – Chantal dopowiada słowa: *avoir le béguin pour quelqu'un.*

– Co to znaczy? – pyta Jeremy.

– Gdy kogoś pragniesz. Ten ktoś jest nieosiągalny. Ale nie możesz przestać o nim myśleć.

– Zadurzenie – tłumaczy Jeremy. – Kiedy zadurzenie przekształca się w miłość? Kiedy zdobędziesz tego kogoś?

Chantal kręci przecząco głową z przebiegłym uśmiechem.

– Nigdy nie wolno zdobyć tej osoby, w której się zadurzyliśmy.

– Dlaczego?

– Bo się rozczarujemy. W zadurzeniu chodzi o pożądanie. Nie o miłość.

– Ale skąd to wiesz, dopóki nie spróbujesz?

Państwo młodzi nachylają się do siebie i gdy ich usta stykają się w pocałunku, fotograf robi zdjęcie, a dziewczynka z kwiatkami chichocze.

– Znam tu miejsce na piknik – mówi Chantal.

Zostawiają za sobą szczęśliwą parę. Jeremy kontynuuje swoją historię.

– Któregoś dnia, pod koniec lata, jakaś dziewczyna podeszła do mnie i powiedziała, że Sarah mnie lubi. Sarah – obiekt moich westchnień. Szalałem z ekscytacji. Planowałem pocałować ją tej nocy. Nie chciałem rozmawiać o niej z innymi chłopakami w namiocie, którzy chwalili się obmacywaniem koleżanek w ciemnościach – to było uczucie wyższego rzędu. Czekałem na nią tygodniami, obserwowałem ją, poznawałem jej style pływania. Wiedziałem, ile splotów jest w jej warkoczu, zauważałem, gdy nowy kostium kąpielowy nie pokrywał się z opalenizną.

– Romantyk.

– Głupiec – skwitował Jeremy.

– Już prawie jesteśmy na miejscu.

Pokonują kamienną dróżkę, torby obijają się im o nogi. Chantal przyśpiesza kroku. Zwykle spacerują nieśpiesznie, swobodnie, nie ścinając zakrętów. Teraz Jeremy wydłuża krok, żeby za nią nadążyć. Rzeka przybrała po letnich deszczach.

* * *

Ktoś podczas wczorajszej kolacji powiedział, że jest zagrożenie powodziowe, i rozmowa zeszła na huragan Katrina. W domu Jeremy jako pierwszy oskarżyłby administrację Busha o to, że wszystko robi źle, ale tu, przy Europejczykach, zachowywał się dziwnie defensywnie. W pewnym momencie nawet argumentował, że nie da się chronić miasta zbudowanego poniżej poziomu morza, a w duchu myślał: Co ja mówię? Czy ja w ogóle w to wierzę?

Później, w drodze do domu, przed kłótnią, zwierzył się Danie.

– Nie wiem, na czym to polega. Przy tych obcokrajowcach zacząłem przemyśliwać wszystko, co dotąd brałem za pewnik.

– W Paryżu bycie Amerykaninem ciągle jest krępujące – powiedziała.

– To nie to. Myślałem o tym w całkiem nowy sposób. To, co mówiłem, miało sens, nie było tylko czczym gadaniem.

Objęła go w pasie i położyła głowę na jego ramieniu.

– Jestem zmęczona. Czasami tak trudno jest być pewną siebie przez cały czas.

– Tobie? – Pocałował ją w czubek głowy.

– Szczególnie mnie.

Woda Sekwany obmywa bok dróżki. Jeremy nie widzi przed sobą żadnego miejsca, które mogłoby nadać się na piknik, jeśli tego szuka Chantal. Na środku rzeki, na Île Saint-Louis, długie odcinki brzegu nadają się dla amatorów kąpieli słonecznych. Jeremy zerka na ciemniejące niebo. Wyobraża sobie, jak nadzy chłopcy leżący na trawie zrywają się i biegną w poszukiwaniu schronienia w chwili, gdy rozlegnie się grzmot.

Lecz Chantal nie kieruje się do mostu, który jest na wyżej położonej drodze. A on nie pyta jej o zamiary – to jeden z uroków przebywania z Chantal. Zdaje się na nią. To ona prowadzi rozmowę i to ona wybiera trasę spacerów po mieście. Dlaczego więc nagle poczuł się zaniepokojony? Przecież się nie zgubili. Nie wyczerpali także tematów do rozmowy ani nie przeszli wszystkich tras widokowych.

Lecz przed nimi nic nie ma, tylko długi odcinek dróżki. Idą szybko. Chantal stuka niskimi obcasami po bruku.

Jeremy przypomina sobie dziewczynę z letniego obozu, o której mówił, i czuje ogromną ulgę.

– Tamtej nocy… – zaczyna, ale Chantal mu przerywa, czego nigdy dotąd nie robiła.

– Poczekaj chwilę. Już prawie jesteśmy. Zaraz mi spokojnie opowiesz swoją cudowną historię.

Jeremy martwi się – to nie jest cudowna historia. Dziewczyna się nie pojawiła, ta druga tylko mu dokuczała, a on przez resztę wakacji unikał jeziora. Dlaczego w ogóle postanowił ją opowiedzieć? Pierwsza miłość? Mógł mówić o Danie, ponieważ oczywiście, choć wcześniej było dużo innych kobiet, to ona zdobyła jego serce.

– *Nous sommes arrivés* – oznajmia z dumą Chantal. – Dotarliśmy, jesteśmy na miejscu.

Zatrzymała się i stoi z rozłożonymi rękami. Jeremy rozgląda się. Nie ma żadnego trawnika ani drzewa, pod którym można usiąść, nic wartego uwagi.

Nic, dopóki Chantal nie schodzi nad rzekę, pokonuje kilka stromych schodków i wchodzi na krótką kładkę. Barka! *Une péniche!* Prowadzi go na jedną z wielu starych łodzi przycumowanych do nabrzeża. Ta wyjątkowo wymaga malowania, choć widać jeszcze, że kiedyś była jaskrawoczerwona, a na burcie żółtym kolorem wymalowano słowa „JARDIN BLEU", „Niebieski ogród". Barka ma może ze dwanaście metrów i wygląda, jakby od lat nie ruszano jej z tego miejsca.

Jeremy zerka na stojące przed nią i za nią łodzie i natychmiast dostrzega, czym się ta wyróżnia – to ogród! Pokład jest pełen roślin doniczkowych, kwiatów i paproci, wręcz eksploduje nimi. Kwitnące łodygi opadają i zwisają, sięgając powierzchni wody. Dociera do niego mocny zapach bujnej dżungli – to miejsce jest trochę dzikie.

Długie nogi Chantal z łatwością pokonują dystans pomiędzy pomostem a łodzią. Odwraca się i podaje mu rękę. Jeremy przyjmuje ją, choć oczywiście poradziłby sobie bez jej pomocy. Torby na jej ramieniu obijają się o siebie.

– Odstawię je. Chodź. Witaj w moim domu.

W jej domu.

Stoi pewnie obiema stopami na pokładzie i czuje krótkotrwałe wahnięcie – łódź kołysze się, gdy obok przepływa *bateau-mouche*. Łapie się barierki. Chantal wyciąga dłonie i Jeremy jest zdezorientowany, ale przypomina sobie o zakupach, o obwieszonych torbami ramionach i przedramionach.

– Proszę, rozgość się. Usiądź. Za chwilę wrócę.

Ruchem głowy wskazuje tył łodzi. Jeremy dostrzega stolik i dwa krzesła w środku ogrodu. Stolik mieści się pod treliażem; po drewnianej kratownicy wije się opadająca kaskadami kwitnąca glicynia. Jeremy nigdy czegoś takiego nie widział. Powinien coś powiedzieć, ale kiedy się odwraca, Chantal już przy nim nie ma. Miga mu tylko tył jej głowy, gdy schodzi pod pokład.

Łódź ponownie się kołysze, Jeremy chwyta barierkę i rozstawia szerzej nogi. Przydałby mi się krok marynarza, myśli.

Idzie do stolika i krzeseł pomiędzy donicami kwitnących krzewów i egzotycznych paproci. Wszystko jest świeżo podlane po burzy i jego płuca wypełnia zapach wilgotnej ziemi.

Dom Chantal. Jeremy potrafił wyobrazić sobie wiele miejsc, w których mogłaby mieszkać – służbówkę, *chambre de bonne*, niedaleko wieży Eiffla, małe mieszkanko na lewym brzegu rzeki, może nawet loft w Marais – ale to go zaskoczyło. Na tym właśnie polega poznawanie kogoś, myśli Jeremy. Wiesz o kimś wiele, a potem jedna nowa informacja zmusza do przewartościowania dotychczasowej opinii i budowania jej od nowa.

Chodzi pomiędzy żardynierami. Na niektórych są pojedyncze kwiaty, na innych bujna mieszanka liści, wylewających się z doniczek, soczystozielonych i pełnych życia. Rośliny są barwne – odcienie fioletu, od bladego do intensywnego. I błękity!

Jeremy słyszy muzykę – Nina Simone – i dostrzega głośniki ustawione na samym końcu łodzi. Chantal szykuje dla niego lunch. Zaprosiła go do swojego domu. Łódź kołysze się i jego dłoń znowu wędruje do barierki.

Nagle zaczyna się zastanawiać, czy powie o tym Danie. Oczywiście, że tak. Nie ma czego ukrywać. Jego korepetytorka zabrała go na lunch na swoją łódź. Siedzieli przy stoliczku na rufie jej łodzi, gdzie uczyła go francuskich nazw kwiatów i opowiadała o życiu na wodzie. Wyobraża sobie, jak wspomina o tym na przyjęciu. Niesamowite! I żona kupiła ci korepetytorkę!

Ale za chwilę przypomina sobie Lindy i jej reakcję na Chantal. Była zazdrosna? Chroniła matkę? Martwiła się, że straci Jeremy'ego? Niemożliwe. Zapewni ją, że lekcje się już skończyły. Nie ma się czym przejmować.

Słyszy Chantal idącą po schodach i zdejmuje rękę z barierki.

– Cudowne miejsce – stwierdza, gdy Chantal wychodzi z wielką tacą.

Dziewczyna odpowiada uśmiechem, tak promiennym, jakiego dotąd u niej nie widział. Jest w domu, myśli Jeremy. Jest u siebie.

– Nasz lunch – mówi Chantal.

Jeremy podąża za nią do stołu. Widzi na tacy butelkę czerwonego wina i dwa kieliszki, talerz serów, koszyk pieczywa, spodek z oliwkami i korniszonami, miskę pokrojonych w plastry jabłek i gruszek. Wszystko wygląda idealnie – talerze i miski są z kremowobiałej ceramiki, pozbawione deseniu, a serwetka w koszyczku z pieczywem jest bladoróżowa.

– Uczta – zachwyca się Jeremy.

Jest bardzo głodny. Zajmuje jedno z krzeseł i nalewa wina. Chantal rozstawia talerze, siada naprzeciwko niego i podnosi kieliszek.

Jeremy wyobraża sobie toast – zeszłego wieczoru na kolacji wzniesiono ich chyba z tuzin – za rocznicę jego i Dany, za film, Francję, za czyjąś nową książkę dotyczącą sztuki, za wielkiego reżysera.

Ale Chantal po prostu wyciąga rękę i stukają się kieliszkami. Uśmiechają się i sączą wino. Jest przepyszne.

– Opowiedz mi swoją historię miłosną – prosi Chantal.

– To nic specjalnego. Chciałbym poznać historię łodzi.

– Najpierw miłość – nalega.

Więc Jeremy zaczyna mówić, ale tym razem opowieść staje się baśnią, gigantycznym kłamstwem. Nigdy wcześniej niczego nie zmyślał.

– Tamtego wieczoru poszedłem do obozowej kantyny, gdzie wszyscy kręciliśmy się po wieczornych zajęciach. Czekała na mnie. Po raz pierwszy miała rozpuszczone włosy, które okrywały jej plecy niczym koc. Nigdy wcześniej nie widziałem tak pięknych włosów.

Chantal wygląda na zadowoloną, więc Jeremy mówi dalej, głębokim głosem, a francuskie słowa same wychodzą z jego ust, jakby często przebywał na łodzi w Paryżu z młodą kobietą i snuł nieprawdopodobne historie miłosne.

– Byłem nieśmiały, nadal jestem… wtedy często milczałem w dużej grupie dzieci. Ale przy niej czułem się starszy, mądrzejszy i przystojniejszy niż w rzeczywistości.

Chantal śmieje się, a Jeremy upija łyk wina.

– Sarah spytała, czy mi się podoba. Odpowiedziałem, że tak – uważam ją za najładniejszą dziewczynę na obozie. I żałuję, iż nie jestem starszy, żeby móc być jej chłopakiem. Stwierdziła, że nie lubi starszych chłopaków, bo są zarozumiali i ciągle mówią o sobie. Podoba się jej mój spokój.

Jeremy zorientował się, że nagle sam stał się jednym z tych chłopców, mówiąc o sobie. I żadna część tej historii nie wyglądała na prawdziwą – to absurdalne, żeby starsza dziewczyna wybrała takiego chłopaka. Ale Chantal czekała na ciąg dalszy i Jeremy nie ma pojęcia, jak się wycofać z popełnionego błędu.

– Spytałem ją, czy kiedykolwiek pływała w jeziorze nocą. Odpowiedziała, że nie wolno tego robić. Słyszała kiedyś o dziewczynie, która poszła nocą popływać i nigdy nie wróciła. „Chodźmy – powiedziałem. – Nic nam nie grozi. Nikt nas nie znajdzie".

– Dzielny chłopak – komentuje Chantal.

Nie! – chce krzyczeć Jeremy. Nie jestem i nigdy nie byłem dzielnym chłopakiem.

– Poszliśmy nad brzeg jeziora. Tej nocy zorganizowano dyskotekę, więc wszyscy byli w sali tanecznej albo w kantynie. Na plaży było pusto i tak ciemno, że ledwo się widzieliśmy. Biwakowaliśmy głęboko w lasach New Hampshire, daleko od świateł miast.

– Brzmi uroczo – mówi Chantal. W pewnej chwili zamyka oczy i Jeremy wyobraża sobie, że to ona jest z nim nad jeziorem i zbiera się na odwagę, by się rozebrać.

– Rozebrałem się pierwszy. Podeszliśmy do końca mola, zostawiłem ubrania złożone na ławce i w nerwowym pośpiechu skoczyłem do wody. Kiedy się wynurzyłem, żeby złapać powietrze, ona właśnie była w połowie skoku, naga, niewiarygodnie piękna. Nigdy wcześniej nie widziałem nagiej dziewczyny.

Jeremy milknie. Kieliszek wina jest już pusty. Nie jadł dziś niczego oprócz kilku kawałków chleba z oliwą. Może to przez powolne kołysanie łodzi, ale kręci mu się w głowie.

– Zatrzymajmy nagą dziewczynę w trakcie skoku do wody. Muszę zjeść trochę sera.

Chantal śmieje się.

– Biedna Sarah. Taka rozebrana.

– Sarah może poczekać na skok do zimnej wody. Ja już dłużej nie wytrzymam.

Sięga po chleb i kroi camemberta, który wycieka na talerz. Rozsmarowuje go na chlebie i wypełnia usta cierpkim smakiem. Chantal bierze kawałek gruszki, plaster koziego sera, *chèvre*, składa je razem i podaje mu.

– *Merci* – odpowiada. Jedzenie wydaje się rozpuszczać w ustach.

– Proszę. Opowiedz mi swoją historię pierwszej miłości, żebym mógł jeść.

– Ale to są lekcje francuskiego – Chantal uśmiecha się do niego. Nie jest pewien, ale chyba się z nim drażni. – To ty masz mówić.

– Rzuć wyzwanie mojej znajomości francuskiego. Opowiedz mi bardzo skomplikowaną historię miłosną.

– Kiedy skończysz swoją.

Przez cztery dni Jeremy żałował, że nie potrafi oczarować Chantal opowieściami, ale nie jest tego typu człowiekiem. Jest typem słuchacza, a kobiety zawsze to doceniały, jakby był dzięki temu lepszy od innych mężczyzn. A teraz? Jest gorszy niż najgorsi z nich. Kłamie. I nie potrafi się powstrzymać.

– Wskoczyła do wody pięknym łukiem, a światło księżyca oświetliło jej szczupłe ciało i zobaczyłem małe piersi, wąskie biodra. Młóciłem wodę, przyłapany na podglądaniu. Stwierdziłem, że płynie w moim kierunku i prawdopodobnie zaraz mnie wciągnie pod wodę. Ale nie, przepłynęła obok i musiałem ją ścigać, choć oczywiście była szybsza i silniejsza.

Łódź kołysze się i Jeremy chwyta stolik. Chantal śmieje się.

– To *bateau-mouche* – wyjaśnia. – Nawet w środku nocy łapię się na myśli, że zaraz spadnę z łóżka i utonę.

Po raz pierwszy Jeremy myśli o tym, że pod pokładem jest dom Chantal, jej łóżko. Odwraca od kobiety wzrok i patrzy na rzekę. Na pokładzie *bateau-mouche* machają do nich turyści. A on, głupio i bezmyślnie, odmachuje im. Biorą mnie za Francuza, myśli.

Ale Chantal ani drgnie. Jak się tu mieszka, to nie reaguje się tak spontanicznie na pozdrowienia turystów, dochodzi do wniosku Jeremy. Zachowuję się jak trzynastolatek, gani się w myślach.

– Płyniesz ze wszystkich sił… – Chantal wraca do historyjki.

Koniec opowieści, mówi sobie Jeremy. Natychmiast.

– Nigdy bym jej nie dogonił. Dlatego musiała zwolnić, taka z niej dobra dziewczyna. A kiedy się z nią zrównałem, gdzieś w połowie jeziora, nie wiedziałem, jak się mam zachować. Byłem taki młody. A ona przerastała mnie pod każdym względem.

– Pokazała ci.

– Tak – zgadza się Jeremy. – Pokazała mi, co robić.

Popijają wino. Tym razem Jeremy przygotowuje plasterek jabłka i kawałek roqueforta dla Chantal, dolewa im wina.

Czuje dziwną kombinację ulgi, bo skończył opowieść, i przerażenia, bo oto stał się człowiekiem, który zmyśla, żeby zrobić wrażenie na młodej kobiecie. W wieku czterdziestu pięciu lat!

Zaledwie tydzień temu, leżąc na łóżku w Santa Monica Canyon, gładził palcami ciało Dany i powiedział:

– Znam każdy centymetr ciebie.

– Żadnych niespodzianek? – spytała. – Żadnego odkrycia blizny na nodze, tatuaży na biodrze?

– Nie chcę niespodzianek. – Przyciągnął ją bliżej. – Chcę tego, co mamy. Niczego więcej.

Dana nic nie odpowiedziała. I przez krótką chwilę niepewności pomyślał, że może to za mało. Jest kobietą dającą się ponieść emocjom, która żyje z rozmachem. A potem wraca do domu, do mnie. Poczuł ból w piersi. Mów o tym, pomyślał. Ale jak to się często zdarzało, słowa nie przychodziły. Dlatego wziął ją w ramiona i kochał się z nią. Potem objął Danę i przytulił się do jej pleców.

Teraz się zastanawia: Czy wczorajsza kłótnia była sposobem pozbycia się własnych obaw? Czy to jedna z przyczyn jego niepokoju w ciągu tych ostatnich kilku dni w Paryżu? Czy po dziesięciu latach spędzonych z Daną stracił wiarę w ich związek?

– Opowiedz mi o swojej pierwszej miłości – prosi Chantal, odpychając od siebie te myśli.

Ona patrzy na rzekę i wydaje się niemal tak wstydliwa i nieśmiała jak wcześniej. Po chwili poprawia na talerzykach plastry serów i gruszek.

– Albo podaj mi nazwy wszystkich roślin w swoim ogrodzie – mówi szybko Jeremy.

– Miły jesteś. Dałeś mi możliwość wycofania się.

– Jeśli tylko chcesz. Nawet nie pamiętam, jak zeszliśmy na niebezpieczny temat miłości.

– Moja wina. – Chantal uśmiecha się. – Dyrektor szkoły językowej by mnie zwolnił.

Jeremy odwzajemnia uśmiech.

– Nic mu nie powiem.

Jeremy zastanawia się, czy lunch na jej łodzi również nie jest zakazany, *interdit*. Oczywiście. Ta myśl sprawia mu przyjemność. Ona łamie dla niego zasady.

– Po raz pierwszy zakochałam się rok temu. – Nie kontynuuje, jakby to już był koniec historii.

– Żadnych burzliwych nastoletnich romansów?

– Mnóstwo burz. I żadnego spokoju po burzy.

Jeremy potakuje. Wie, co ona chce przez to powiedzieć. Uwielbiał zakochiwać się w Danie, ale któregoś dnia, ku swojemu wielkiemu zdziwieniu, przekonał się, że jeszcze bardziej podoba mu się kochanie jej. Spokój.

A teraz? Czy robi burzę z niczego?

– Poznałam Philippe'a w szkole językowej. Każdej wiosny jest przyjęcie z okazji urodzin dyrektora. Trochę głupie – on sam jest czasem jak dziecko. Chciałby, żebyśmy wszyscy prowadzili zajęcia z zabawami, nagrodami i piosenkami. Nie jestem w tym najlepsza, więc wyznacza mi zajęcia prywatne.

Jeremy nie potrafi wyobrazić sobie Chantal stojącej przed klasą pełną dorosłych osób, jak śpiewa francuskie rymowane pioseneczki i rzuca cukierki najlepszym uczniom. I oczywiście nie wyobraża sobie siebie na takich zajęciach. Jak dobrze, że na siebie trafili.

– Philippe był nowy w szkole. Jest bardzo przystojny, chociaż mnie zwykle nie pociągają tacy mężczyźni.

Tacy mężczyźni. Często powtarzano Jeremy'emu, że jest przystojny. Ale ponieważ jest albo małomówny, albo mniej przebojowy niż większość atrakcyjnych mężczyzn, zawsze czuł, iż nie ma wiele wspólnego z podrywaczami i kochankami.

– Rozmawiał ze mną pod koniec przyjęcia. Oczywiście mu się przyglądałam, każda z nas to robiła. A on patrzył na mnie. Potrafi sprawić, że kobieta czuje się, jakby była tą jedyną.

Urywa i odwraca od Jeremy'ego wzrok, obserwuje holownik. Wydaje się smutna, jakby to w ogóle nie była historia miłosna.

– Przepraszam – spogląda znów na niego. – Może nie powinnam była zaczynać tego tematu.

– Mów dalej.

– Wystarczy nowych słów. To nasz ostatni wspólny dzień.

Sięga po wino i napełnia ich kieliszki. Teraz mówi już pewniejszym głosem.

– Wyszliśmy z przyjęcia i poszliśmy do kawiarni na drinka. On jest czarujący, oczywiście wie, jak zdobyć serce kobiety. A ja chyba czekałam, żeby swoje komuś oddać. Dwadzieścia osiem lat. Jestem nieco do tyłu w stosunku do swojego pokolenia.

– Z wyjątkiem hippisowskiej komuny na Oceanie Indyjskim – zauważa Jeremy.

– Ach, to. Odstępstwo od normy. Rozpaczliwa próba bycia młodą i szaloną.

– Popatrz tylko… – Wskazuje ręką raj, który stworzyła tu, na Sekwanie. – …to jest szalone.

– To moje schronienie.

– Przed czym?

– Przed zgiełkiem tego świata. Przychodzę tu, żeby się ukryć.

Jeremy myśli o sobie w warsztacie. Tam jest najszczęśliwszy, czy pracuje nad projektem renowacyjnym dla klienta, czy buduje nową szafę do swojego domu. Lubi zapach trocin, odgłos hebla wygładzającego krawędź deski, nieustanne skupienie na projekcie. Gdy Dana idzie do pracy, ma do czynienia z ludźmi, słowami i namiętnościami tak wielkimi, że doprowadzają innych do łez. Jak wygląda koniec jej dnia? Czy ona naprawdę chce tego, co on jej daje? Dlaczego nagle zaczął się tym martwić, po tylu latach ufnej miłości?

– Spotykałam się przez krótki czas z Philippe'em i jego zainteresowanie sprawiało mi przyjemność. Myślę, że on naprawdę wierzy w to, że zakochuje się w każdej kobiecie, z którą się umawia. A moim zdaniem on jest tylko zakochany w miłości – ona napełnia go przez chwilę, sprawia, że uważa życie za wspaniałe. I ma rację. Jest doskonały w miłości.

– Ale ty… ty powiedziałaś, że się zakochałaś.

– Któregoś weekendu pojechaliśmy nad Loarę odwiedzić jego rodziców. Mają letni dom niedaleko wspaniałego zamku, jednego z tych, które turyści tak lubią odwiedzać. W tym akurat latem odbywają się koncerty muzyki klasycznej. Są naprawdę cudowne. Wszyscy siedzą na wielkim trawniku pod gwiazdami, a powietrze wypełnia muzyka jakiejś symfonii. Philippe zabrał mnie na jeden z takich koncertów. Zorganizowaliśmy piknik podobny do tego, który mamy tutaj.

Jeremy czuje ukłucie zazdrości – jakby się spodziewał, że to był jedyny raz, kiedy Chantal tak nakryła stół. Ty idioto, myśli.

– Jedliśmy, piliśmy i słuchaliśmy muzyki. W pewnym momencie, w trakcie koncertu, Philippe wstał i wziął mnie za rękę. Przeszliśmy przez tłum ludzi. Zaczęłam go pytać, dokąd idziemy, ale przyłożył palec do ust. Wyglądał na tak zadowolonego ze swojego pomysłu, że pozwoliłam mu się prowadzić.

Obeszliśmy zamek dokoła. Budynek był zamknięty i włączono tylko reflektory na zewnątrz, które oświetlały baszty, ogromne wejście, balkony, wieże strażnicze po obu stronach. Nikt już w tym zamku nie mieszkał. Teraz służy wycieczkom, jest wynajmowany na wesela i firmom w celach reprezentacyjnych. Może ktoś zajmuje domek dozorcy przy wejściu, ale tamtego wieczoru nie było widać nikogo, kto by pilnował okolicy.

Philippe wiedział o tylnych drzwiach – wejściu dla służby – na których wisiała zepsuta kłódka. Przez chwilę zastanawiałam się, czy nie przyprowadzał tam innych kobiet przede mną. Zakradliśmy się do zamku i weszliśmy po długich schodach do głównej sypialni, oświetlając sobie drogę latarką Philippe'a. Przekroczyliśmy linę blokującą wejście do pokoju i Philippe zaniósł mnie do łóżka.

Chantal patrzy na swoje dłonie oparte na stoliku. Ma długie, wąskie palce i bladą skórę. Jeremy wyobraża sobie te dłonie na swojej twarzy. A potem Chantal patrzy na niego, wyrwana z zamyślenia. Jej oczy są błyszczące i rozszerzone.

– Nigdy w życiu nie zrobiłam czegoś tak śmiałego. Pokochałam go tamtej nocy.

Milknie i kręci głową.

– To szalone. Wyobraź sobie, co by się stało, gdyby nas złapano.

– Kochałaś wtedy jego czy niebezpieczeństwo?

Chantal ma zdziwioną minę.

– Przepraszam – mówi szybko Jeremy. – To nie moja sprawa.

– To dobre pytanie. Mogę na nie odpowiedzieć. – Przerywa i upija łyk wina. – Kochałam jego.

– I nadal go kochasz?

– Nie wiem.

– Czy sprawił, że stałaś się śmielsza?

– Na jedną noc – odpowiada z szelmowskim uśmiechem. – I za to go kochałam.

Jeremy nie rozumie. Chce zadać kolejne pytania, ale czuje, że nie powinien już się wtrącać.

I wtedy, jak nagła burza, wzbiera w nim irracjonalny gniew.

– Co włamanie się do zamku i kochanie się w cudzym łóżku ma wspólnego z miłością?

Przez moment myli Chantal z własną córką. Chce jej udzielić rady, powiedzieć, że się myli, że Philippe jest niewłaściwym mężczyzną, a miłość nie ma nic wspólnego z niebezpieczeństwem. I nagle ryk z głośnika przerywa tę krępującą ciszę i Jeremy słyszy coś o Notre Dame i o Île Saint-Louis. To ponownie *bateau-mouche*. Turyści znów machają jak szaleni. Dlaczego? Jakie to ma znaczenie, czy im odmacha? Odwraca się i sięga po kawałek sera.

Chantal dotyka jego dłoni.

– Przepraszam. To nie była odpowiednia historia.

– Pamiętam, co powiedziałaś wcześniej w kawiarni. Że czasami musimy uciec od samych siebie, żeby siebie odnaleźć. Może Philippe pomógł ci to zrobić.

Chantal uśmiecha się.

– Podoba mi się to. Zatem ponownie dowiedziałam się, że tak naprawdę w głębi serca jestem dobrą dziewczyną i powinnam sobie znaleźć lepszego mężczyznę.

Patrzy na jej dłoń i Chantal ją odsuwa.

Gdyby Jeremy był młodszy, wziąłby ją za rękę i poprowadził na dół do sypialni. Nie, to nie ma nic wspólnego z wiekiem. Zrobiłby to i teraz. To jest chwila, na którą czekał od momentu, gdy dotarł dzisiejszego ranka do stacji metra.

Myśli o seksie z Daną. Przy niej jest naprawdę sobą. Uprawiają miłość intensywnie i z zaangażowaniem – rzadko wtedy rozmawiają, a jednak czuje, że zna ją najlepiej właśnie wtedy, gdy się kochają. Ona oddaje się jemu, a on jej. Mimo dziesięciu lat namiętność nie wystygła.

– Przejdźmy się – proponuje Jeremy.

Wstaje zbyt szybko i uderza nogą w stół. Kieliszek wina się wywraca. Łapie go w locie, ale wino zalewa sandałki Chantal.

– Och, ale z ciebie niezdara! – Jej twarz przybiera taką samą barwę różu, jaką ma jej bluzka. Dziewczyna ucieka – a on słyszy jej kroki na schodkach prowadzących pod pokład.

Jeremy sprząta. Serwetką umoczoną w wodzie wyciera resztki wina z pokładu. Zbiera miski, pustą butelkę, talerze oraz koszyk i stawia wszystko na tacy.

Umyłby naczynia, ale wie, że kuchnia jest na dole, tam gdzie Chantal i sypialnia. Nie, zostawi je tutaj.

Dzwoni jego komórka. Wyciąga ją z bocznej kieszeni. To Dana.

Przez chwilę czuje się przyłapany, ale zaraz potrząsa głową. Nie zrobiłem niczego złego. Lunch, trochę wina.

– *Allô?* – rzuca z francuskim akcentem. Na pewno ją tym rozbawi.

– Przepraszam – mówi szybko Dana, a potem przechodzi na francuski. – Pomyliłam numer.

Rozłącza się, zanim Jeremy zdążył się odezwać.

Oddzwania do niej.

– To byłem ja – kontynuuje po francusku. – Udawałem, że jestem twoim eleganckim paryskim kochankiem.

Przed nim stoi Chantal. Spuszcza wzrok. Założyła białe tenisówki i Jeremy znowu myśli o swojej córce.

Żona śmieje się tym swoim filmowym śmiechem – głębokim i intensywnym. Chantal zabiera tacę i odchodzi.

– Chciałabym ją poznać – mówi Dana.

– Kogo?

– Korepetytorkę francuskiego.

– Dlaczego?

– Lindy mówi, że jest bardzo ładna.

– Widziałaś się z Lindy?

– Jeszcze nie. Dzwoniła do mnie. Przyprowadź do nas korepetytorkę.

– Już prawie skończyliśmy zajęcia – mówi Jeremy, chociaż nie jest to prawdą. Zerka na zegarek. Czternasta. – Nie ma powodu się z nią spotykać. – Obniża głos do szeptu.

– Kręcimy wcześniej. Pascale zadzwoniła kilka godzin temu. Coś w związku z deszczem. Już wszystko gotowe. Chcę, żebyście oboje przyszli.

– Gdzie?

– Na Pont des Arts. Twojej przyjaciółeczce się spodoba.

– Dana.

– Lindy mówi, że się zadurzyłeś.

– Nie powiedziała tak. Ona nawet nie zna takiego słowa.

– Może wszyscy bierzemy ostatnio lekcje języka.

– Dana.

– Muszę lecieć, kochanie. Śpiesz się. Zaczynamy za pół godziny.

– Gdzie jest Lindy…

– Przyjdzie.

– Mówiła ci o klasztorze?

– O klasztorze? Muszę się ubrać i już pędzić. Wkrótce się zobaczymy.

I przerywa połączenie.

Chantal znikła. Tak samo resztki jedzenia, butelka po winie, krótkotrwała iluzja innego Jeremy'ego.

Nie, myśli. Nie przyprowadzi jej na spotkanie z Daną. Lindy zachowuje się jak nadąsane dziecko. To wszystko.

Przypomina sobie dłoń Chantal na swojej.

Myśli o domu w Santa Monica Canyon, o psie, warsztacie i marzy, żeby się tam znaleźć.

Idzie na dziób łodzi. Widzi schody – raczej drabinkę – prowadzące w głąb. Nic nie słyszy. Ani dźwięku mytych talerzy, ani płynącej wody.

– Chantal?! – woła.

– *J'arrive!* – odkrzykuje, że idzie.

241

Pojawia się na dole drabinki i patrzy na niego. Płakała? Czy powiedział przez telefon coś, co sprawiło jej przykrość? Nie ma powodu się z nią spotykać.

Odsuwa się, żeby mogła przejść. Chantal się nie zatrzymuje, a on idzie za nią do burty łodzi i potem na pomost. Tym razem nie podaje mu ręki, gdy Jeremy zeskakuje na ląd.

– Moja żona zaprosiła nas... – Chantal odwraca się do niego. Pociagnęła wargi szminką. Są wilgotne. Mogę wrócić, myśli Jeremy. Mogę wziąć ją za rękę.

– Tak?

– ...żebyśmy popatrzyli, jak kręcą film. Pomyślała, że cię to zainteresuje.

– Jak miło z jej strony.

– Nie musimy.

– Oczywiście.

– Nic się tam nie dzieje. To nie wygląda tak efektownie, jak wmawiają nam w Hollywood.

– Z przyjemnością popatrzę.

Lindy spotyka się z nimi przy wejściu na Pont des Arts, żelazny most dla pieszych przerzucony nad Sekwaną od Instytutu Francuskiego na lewym brzegu do Luwru na prawym. Za ogrodzeniami po obu stronach mostu zebrał się spory tłum. Lindy podaje im plakietki z przymocowanymi tasiemkami, które zawieszają sobie na szyi.

– *Mon papa!* – informuje młodego strażnika, który nie odrywa od niej wzroku. Jeremy patrzy na córkę jego oczyma. Jest śliczna mimo braku włosów – przychodzi mu do głowy słowo „dojrzała" i nienawidzi siebie za tę myśl. Lindy ma koszulkę na ramiączkach, ciasno opinającą jej biust, który chyba urósł od zeszłego roku. Przybrała również nieco na wadze – twarz jest pełniejsza, a ciało już nie tak wychudzone. Jeremy patrzy na strażnika i ma ochotę powalić go na ziemię.

Lindy prowadzi ich przez bramkę. Bierze Jeremy'ego za rękę, jakby była dzieckiem. W jego sercu wzbiera radość. Nadal jest jego małą córeczką, myśli.

Czuje, że znowu został wciągnięty do swojego życia – córka, której nigdy nie spodziewał się mieć, dziesięć lat dziewczęcości, skomplikowana ścieżka przez nastoletnią dzikość i teraz to, wyprawa do klasztoru. Ściska jej dłoń.

Przed nimi, na środku mostu, panuje zamieszanie – a w samym środku tego chaosu drobna reżyserka z burzą rozwichrzonych rudych włosów wykrzykuje komendy. Jeremy lubi Pascale – Dana już z nią wcześniej pracowała i kobieta wydaje się zachowywać rozsądek w tym szalonym biznesie. Pascale go dostrzega i posyła mu pocałunek. Wskazuje namiot na drugim końcu mostu. A potem pokrzykuje na kilku mężczyzn z włosami spiętymi w kucyk, którzy niosą łóżko. Łóżko na moście?

– Spotkałaś się ze znajomymi? – pyta córkę, gdy kierują się w stronę namiotu.

– Nie było żadnych znajomych. Nie chciałam ci przeszkadzać w lekcji francuskiego. – Zerka na

Chantal, która idzie dwa kroki z tyłu. – Dlaczego ona tu przyszła?

– Twoja matka ją zaprosiła – mówi cicho Jeremy, mając nadzieję, że Chantal tego nie słyszy.

Spogląda na nią. Jej uwagę odwrócił plan filmowy i tłum – ma szeroko otwarte oczy i twarz jej promienieje. Podchodzi bliżej do nich.

– *Maman!* – krzyczy Lindy.

Dana stoi przy wejściu do namiotu, przyglądając się im. Jeremy, pomiędzy Chantal i Lindy, w zbitym tłumie, czuje ramię Chantal przy swoim. Nie może się ruszyć. Dana uśmiecha się, jakby wiedziała, o czym on myśli.

Jego piękna żona wygląda strasznie. Nie jest umalowana – czy też to makijaż zniekształca te piękne rysy? Jej skóra, pomimo opalenizny, jest blada, włosy oklapnięte i matowe, ubranie workowate i znoszone. Czy to kostium?

Przez krótką chwilę Jeremy, świadomy, iż się okłamuje, ma nadzieję, że to ktoś inny – brzydka asystentka jego żony, a za moment z namiotu wyjdzie gwiazda.

Ale Dana podchodzi do nich i całuje go w usta. Następnie wyciąga rękę do Chantal.

– *Enchantée* – mówi tym zmysłowym filmowym głosem, który wszyscy tak kochają. W ich wspólnie spędzane noce Jeremy słyszy inne brzmienie, które nazywa łóżkowym. Uważa, że zachowuje je tylko dla niego, w przeciwieństwie do tego, którym dzieli się z całym światem.

– Ja też witam. Tak mi miło, że mogę panią poznać – mówi Chantal. – Tyle o pani słyszałam.

Kłamstwa, myśli Jeremy. Wymyślił cudowną, wyidealizowaną, fantastyczną żonę. Dziś wymyślił również siebie. Chłopiec, który wskakuje latem do jeziora z nagą dziewczyną. Mężczyzna, który uwodzi kobietę na łodzi na Sekwanie.

A jeżeli wszystko, czego dotąd był pewien – uroda żony, jego wierność – jest do zrewidowania?

– Wyglądasz okropnie! – wykrzykuje do matki Lindy.

Dana przesuwa dłońmi po głowie Lindy, przyciąga córkę do siebie i obejmuje ją mocnym matczynym uściskiem.

– Co to jest? – pyta, odsuwając się i patrząc na głowę Lindy.

– Odrosną.

– Wyglądasz fantastycznie – mówi jej Dana.

– Serio? – Lindy jest naprawdę zaskoczona.

– Serio.

Lindy zarzuca jej ręce na szyję i znad ramienia Dany przewraca oczami z szerokim i szczęśliwym uśmiechem.

– Czy to twój kostium? – pyta Lindy. – Kogo grasz?

Dana śmieje się.

– Jak widać, osobę załamaną. Właśnie straciłam męża z powodu młodszej kobiety. – Dana zerka na Chantal. – I złapała mnie ulewa. Mamy nadzieję, że znowu będzie padać. Chociaż nie mogę sobie wyobrazić, że mogłabym jeszcze gorzej wyglądać.

To rola, myśli Jeremy, i czuje, jak rozluźniają mu się ramiona, a pierś rozszerza. Oczywiście. To przecież makijaż – teraz widzi, że zmarszczki zostały narysowane na nieskazitelnej skórze jego żony.

Nie pamięta fabuły tego filmu, choć jest pewien, że Dana mu ją opowiedziała. Czyżbym przestal jej słuchać? – zastanawia się. Ale przecież tym właśnie jestem – mężczyzną, który potrafi słuchać. Kiedy opowiedziała mu fabułę? Zeszłego wieczoru przy kolacji? Miesiące temu, kiedy dostała scenariusz? Dlaczego zapomniałem?

– Po co na moście stoi łóżko? – pyta po francusku.

– No proszę – mówi Dana. – Wiedziałam, że pięknie porozumiewasz się po francusku. Chociaż nie ze mną. – Zwraca się do Chantal. – Za dużo mówię. Widzi pani, co się dzieje, gdy milknę?

– Cały dzień robię błędy. – Nagle wszystko nabiera podwójnego znaczenia i Jeremy czuje, że traci równowagę. – *Le lit?* – powtarza.

– Ach, łóżko.

– Uwaga! *Atten-ti-on!* – krzyczy Pascale przez głośnik. Film jest koprodukcją francusko-amerykańską. Połowa obsady to Francuzi. Nawet dialogi są prowadzone w obu językach. Tyle przypomina sobie Jeremy.

– Muszę iść – mówi Dana, podczas gdy Pascale nadal coś wykrzykuje. – Zaraz gram. Mam nadzieję, że uda nam się później porozmawiać. – Ostatnie zdanie kieruje do Chantal, która wydaje się niezmiernie zadowolona, że skupia się na niej uwaga aktorki, nawet jeśli ta aktorka jest mało atrakcyjna, kiepsko ubrana i jest żoną człowieka, który cały dzień do niej wzdychał.

Nic dla niej nie znaczę, myśli Jeremy, a potem się na tym łapie. Oczywiście, że nie. Jestem jej uczniem w tym tygodniu. W poniedziałek pozna innego.

Dana śpiesznie odchodzi.

– Chodźmy – mówi z zapartym tchem Lindy. – Chcę być z przodu.

Zachowuje się jak mała dziewczynka, która pierwszy raz znalazła się na planie. Powinna już wiedzieć, że przygotowanie sceny zajmuje więcej czasu, niż sądzono, że coś od razu pójdzie nie tak i trzeba będzie znaleźć nową kamerę albo sprowadzić platformę na kółkach, albo przestawić światła. A jeśli będzie padać, potrzebne będą daszki osłaniające kamerzystów i reżyserkę, nawet jeśli aktorzy mają moknąć.

Lindy przepycha się do przodu.

– Jesteś pewna, że… – Jeremy chce, żeby Chantal powiedziała: Chodźmy stąd. Chodźmy gdzieś, gdzie jest spokojnie.

– Och, nie mogę się doczekać, aż zaczną kręcić! – Oczywiście, jest zafascynowana gwiazdami. Każdy jest, tylko nie on. Czy może kochać żonę i nienawidzić gwiazdy?

Jeremy bierze Chantal za łokieć i przeciskają się przez tłum. Ekipa zajęła spory obszar na środku mostu. Stoi tam łóżko pokryte różowym prześcieradłem. Żadnego koca i poduszek. Prześcieradło jest już pomięte.

Po ciemniejącym niebie przetacza się grzmot – tłum wydaje z siebie chóralne: Ooooch! Zebrani spodziewają się czegoś dramatycznego, a nadchodząca burza podsyca ich oczekiwania. Na planie nic się jeszcze nie dzieje, ale gapie milkną. Jeremy widzi ich po obu stronach Sekwany, jak stoją w trzech lub czterech rzędach i posłusznie stosują się do poleceń wypisanych na wielkich planszach, które trzymają w górze młodzi członkowie ekipy: „Cisza!".

Jeremy dostrzega Lindy i pomaga Chantal przecisnąć się do niej, po czym staje pomiędzy nimi. Zna tylko kilka osób kręcących się przy Pascale – rozpoznaje ich z poprzedniego filmu, który Dana zrobiła z nią cztery lata temu. Jedna z nich była poprzedniego wieczoru na kolacji – młody Francuz, który współpracował z Pascale nad scenariuszem. „Jest znakomity", powiedziała Dana Jeremy'emu, podczas gdy młodzieniec opowiadał długą historię o imigranckiej rewolucji, na którą zanosiło się w *banlieue*, na przedmieściach Paryża. I napuszony, pomyślał Jeremy, ale nic nie powiedział. Teraz ten młody człowiek poprawia za dużą koszulę Dany, rozpinając dwa górne guziki. Przecież nie jest kostiumologiem. Co go to interesuje? Ale Pascale zerka na Danę i kiwa potakująco głową – najwyraźniej aktorka powinna wyglądać okropnie i jednocześnie pokazywać biust.

Pascale wykrzykuje komendy, po czym zajmuje krzesło reżysera. Z tyłu na oparciu napis: „WIELKI SZEF". To prezent od dawnych współpracowników i Pascale siada na tym krześle podczas realizacji każdego kolejnego filmu. Podoba jej się słowo „WIELKI", ponieważ sama ma zaledwie półtora metra wzrostu.

Rozlega się ponownie donośny grzmot, a Pascale klaszcze i wznosi ręce do nieba. Kilka osób się śmieje.

I już kręcą. Jeremy zastanawia się, jak udało im się tak szybko wszystko przygotować, ale może sprawy się zmieniły od czasu, kiedy ostatni raz był na planie. Obejrzymy scenę lub dwie i pójdziemy sobie, myśli.

Jest cicho, pojawiają się aktorzy – mężczyzna i kobieta, oboje w szlafrokach. Zdejmują je i podają stojącej z boku młodej dziewczynie. Są nadzy. Z tłumu dobiegają stłumione okrzyki zdziwienia. Pascale podnosi rękę i wszyscy milkną. Klapserka daje sygnał i kamery ruszają.

Jeremy zerka na Chantal – jest jak sparaliżowana. A Lindy – aż otworzyła buzię. Jeremy ma ochotę zakryć jej oczy. Ale, oczywiście, dziewczyna ma dwadzieścia lat, widziała już nagich chłopców. Mężczyzn.

Chantal przestępuje z nogi na nogę i Jeremy czuje jej ramię przy swoim. Ona się nie odsuwa.

Aktorka jest bardzo młoda, niewiele starsza od Lindy. Ma włosy blond i upiornie bladą skórę – wygląda jak skrzyżowanie anioła i prostytutki. Jej ciało jest nieznośnie doskonałe – małe, apetyczne, z piersiami okrągłymi jak jabłka. Jeremy dostrzega, że ma wydepilowane włosy łonowe. Nic dziwnego, że wygląda niczym dziecko. Jest coś niepokojącego w tym, co prezentuje – seks i niewinność – coś perwersyjnego.

Dziewczyna podchodzi do łóżka i kładzie się na nim. Wydaje się nieświadoma swojej nagości. Jeremy myśli o dzieciach oglądających to z nabrzeża. Ale jesteśmy w Paryżu, uznaje. I przez chwilę zastanawia się, do jakiej kategorii wiekowej zaliczą ten film – oczywiście Dana nigdy nie wystąpiła w filmie dozwolonym od lat osiemnastu – to by zniszczyło jej karierę. Jest aktorką wielkiej klasy, coś jak młoda Meryl Streep, tylko bardziej pyskata. Nigdy nawet nie zagrała sceny rozbieranej.

Czy ktoś zakryje nagie krocze tej dziewczyny?

Mężczyzna zaczyna obchodzić łóżko, patrząc na partnerkę. On również czuje się swobodnie mimo nagości. Ma duży nieobrzezany członek, który kiwa się w rytm jego kroków. Jeremy spina się – nie powinien tu być z tymi dwiema dziewczynami u boku. Dana zrobiła błąd, zapraszając ich. Może jest pruderyjny, ale to w ogóle nie powinno być wydarzeniem publicznym.

Podnosi wzrok. Kamera robi zbliżenie. Aktorzy milczą. Nigdzie nie widać Dany.

Mężczyzna stojący przy łóżku jest starszy od nagiej dziewczyny o dobre dwadzieścia lat. Nawet jego ciało jest nieco zwiotczałe – Jeremy dostrzega z zadowoleniem, że ma za dużo tłuszczyku wokół pasa. Ale aktor nie przejmuje się tym; okrąża łóżko, jakby był pogromcą lwów albo lwem, a dziewczyna jego ofiarą.

Pojawia się Dana. Ktoś wylał na nią wodę. To nie letnia burza – wygląda, jakby wyszła prosto spod prysznica. Jeremy spodziewa się, że Pascale przerwie kręcenie, że nawrzeszczy na osobę odpowiedzialną za tak przesadzony efekt – ale kamera pracuje, Dana zbliża się do mężczyzny, a on nadal okrąża dziewczynę leżącą na łóżku.

– Spójrz na mnie – mówi Dana gardłowym szeptem. Mężczyzna nie patrzy. Mija ją i chodzi dalej. Dziewczyna na łóżku wydaje z siebie jęk, jakby już uprawiali seks. Jeremy jest zdegustowany. Co to jest? Dziewczyna wodzi za mężczyzną oczami – jego zainteresowanie sprawia jej przyjemność. Jest pobudzona – nawet sutki sterczą na piersiach. Jak ona to robi? Czy uczą tego w szkole teatralnej? Przecież nie może być naprawdę podniecona tym głupkiem z wielkim członkiem, myśli Jeremy.

– *Regarde* – Dana powtarza natarczywiej.

Grzmot, jak na zawołanie. Prawdziwy? Wszyscy podnoszą wzrok – oprócz aktorów, którzy ignorują przetaczający się po niebie pomruk i pierwsze krople deszczu.

Kilku techników zerka na Pascale, która gestem dłoni daje im znać, żeby nie przerywali.

Mężczyzna siada na skraju łóżka. Dziewczyna zwija się w kłębek, żeby znaleźć się bliżej niego. Dana zatrzymuje się i patrzy na nich. Na jej twarzy widać dezorientację, a potem ból.

Mężczyzna bierze dziewczynę w ramiona i kładzie się koło niej. Ona wije się i jęczy coraz głośniej. Jeremy uważa, że powinna zostać usunięta z obsady – za bardzo szarżuje. Pasuje do filmu porno, a nie do poważnej produkcji z udziałem Dany!

Mężczyzna głaszcze ciało dziewczyny, jakby była kotem. Ona mruczy. O Boże, stop, ma ochotę krzyczeć Jeremy. Co to ma być?

Dana zaczyna okrążać łóżko, przyglądając się parze. Jej twarz się zmienia – czy jej się to podoba? Jeremy ma nadzieję, że ktoś wyjaśni mu ten żart – Pascale robi pierwszą w swoim dorobku komedię?

Dana siada na skraju łóżka. Wyciąga dłoń i kładzie ją na biodrze mężczyzny. On kryje przed nią twarz, skupiony na pieszczeniu dziewczyny. Wydaje się nie zauważać Dany.

To fantazja, uznaje Jeremy. Łóżko, nadzy kochankowie, zrozpaczona kobieta. Ona sobie to wyobraża. I Pascale, w rzadkim u niej przypadku kiepskiego gustu filmowego, urzeczywistnia tę fantazję. Na moście na środku Sekwany.

Litości, myśli Jeremy.

Odwraca się do Chantal. Pokręci głową, pokaże jej swój niesmak. Ale ona nie odrywa oczu od rozgrywającej się przed nią sceny.

Deszcz przybiera na sile. Nikt się nie rusza. Nad głową Pascale pojawia się czerwona parasolka. Tłumy stojące wzdłuż Sekwany nachylają się nad barierkami i wytężają wzrok – co oni tam widzą, zastanawia się Jeremy. Penis mężczyzny, wydepilowane łono dziewczyny? Czy widzą pragnienie malujące się na twarzy Dany? Czego ona pragnie? Mężczyzny? Dziewczyny? Jeremy chce krzyczeć: *„Arrête!"*.

I wtedy – całe szczęście! – Pascale woła: „Cięcie!" i dodaje: „Brawo!". Tłum klaszcze, jakby oglądali występ baletu, który mistrzowsko odtańczono. Jeremy nie ma pojęcia, z czego wszyscy są tak bardzo zadowoleni. Jest jedyną osobą, która nie wiwatuje.

– To sztuka – mówi Chantal niemal bez tchu.

– Co? – pyta ze złością.

Chantal patrzy na niego zaskoczona.

– To było piękne. Twoja żona ma ogromnie ekspresyjną twarz.

Jeremy czuje się jak świętoszek. Może wszyscy patrzyli na twarz jego żony, a on widział tylko nagie ciała.

Dana podchodzi do nich.

– Za mną! – woła.

Obejmuje jedną ręką Jeremy'ego, a drugą Chantal. Prowadzi ich do namiotu na dalszym końcu mostu. Dopiero wtedy Jeremy orientuje się, że deszcz zamienił się w ulewę i siecze dużymi kroplami.

– Lindy! – Czuje nagłą panikę, jakby córka zniknęła w środku tego chaosu.

– Za minutę do was dołączę! – odkrzykuje Lindy.

Jeremy patrzy za siebie – Lindy jest tuż za nimi, akurat odwraca się do młodego człowieka z notatnikiem w ręku i zaczyna rozmawiać z nim po francusku.

– Uciekajmy od tego wszystkiego! – krzyczy Dana.

To wszystko to burza, bezustanne dudnienie grzmotów, bębnienie deszczu na żelaznym moście, filmowcy roznoszący sprzęt we wszystkich kierunkach. Pascale ryczy coś przez głośnik, a Jeremy nie rozumie ani słowa.

Asystentka Dany odsuwa klapę namiotu, jakby cały dzień czekała, by ocalić swoją pracodawczynię przed deszczem, a Dana woła: „Jesteś kochana!", gdy wpadają do środka – najpierw Dana, potem Chantal, a na końcu Jeremy. Asystentka idzie za nimi i prowadzi Danę za parawan, gdzie pomaga jej zdjąć mokre ubrania. Jeremy zna tę młodą kobietę – pracuje dla jego żony od kilku już lat – i lubi ją bardziej niż inne, ponieważ asystentka jest zadowolona ze swojego zajęcia. To prosta dziewczyna, a nie ma takich wiele w przemyśle filmowym.

– Ani słowa – mówi Dana zza parawanu. – Wiem, co sobie myślisz. Wiem, że jesteś przerażony.

– Jesteś przerażony? – Chantal pyta Jeremy'ego.

– Oczywiście. Ostrzegałam go. Ale też chciałam, żebyście przyszli. Dajcie mi chwilkę. Wysuszę tylko włosy. Elizabeth, zrobiłabyś nam herbaty? Ja tu sobie poradzę.

Elizabeth wychodzi zza parawanu. Śpiesznie idzie do prowizorycznej kuchenki – palnik, mała lodówka, wszystko rozstawione na te kilka godzin filmowania. Jeremy'ego nadal zadziwia ta organizacja, stworzenie aktorom świetnych warunków do pracy.

– Chodzi o nagość? – pyta cicho Chantal. Czy nie chce, żeby Dana ją usłyszała? Nie, ona zachęca mnie, żebym się odezwał, myśli Jeremy. Wie, że za chwilę Dana może za niego odpowiedzieć.

I o dziwo, chce, żeby żona za niego odpowiedziała. Nie wie, dlaczego jest taki rozdrażniony. To nie nagość, ale absurdalność tej sceny. To coś innego – to Dana.

– Nie zrobiłabyś tego – mówi Jeremy do Dany, która wychodzi zza parawanu w luksusowym szlafroku i z turbanem z ręcznika na mokrych włosach.

– Czego bym nie zrobiła?

– Nie siedziałabyś tak i nie przyglądała się im.

– Nie znasz mojej postaci – odpowiada prosto.

– Nikt by się im nie przyglądał.

– To fantazja.

– Ale również odgrywanie czyichś ukrytych pragnień. Przyglądać się mężowi i jego kochance? To absurdalne.

– Co bym zrobiła?

– Nie wiem. Może masz rację – nie znam twojej postaci z filmu.

– Jaka ona jest, ta postać? – pyta Chantal. Pochyla się z przejęciem, chłonąc ich rozmowę. Przez chwilę Jeremy o niej zapomniał. Przeszli na angielski i Chantal świetnie sobie radzi, chociaż ma amerykański akcent! Ponownie wszystko się miesza, jak kolorowe szkiełka w kalejdoskopie. Kim jest ta młoda kobieta? Nic o niej nie wiem, uświadamia sobie Jeremy. A myślałem, że… Co myślał? Że chce się z nią kochać? Wydaje mu się to teraz idiotyczne. Był równie głupi jak ten nagi mężczyzna na moście.

Dana bierze filiżankę z rąk asystentki i popija herbatę małymi łyczkami.

– Gram bogatą Amerykankę, która przyjeżdża do Paryża ze swoim mężem. Ona chodzi na zakupy, a on ma swoje spotkania biznesowe. Ale nagle w ciągu dnia spotyka go spacerującego po parku z młodą dziewczyną.

– Kto napisał scenariusz? – Jeremy przerywa jej. Ma przyspieszony puls i wilgotne dłonie. W namiocie jest duszno, a deszcz bębni mocno o płótno, co przypomina szum ula.

– Claude. Ten młody człowiek, którego poznałeś na kolacji.

– To dzieciak – prycha Jeremy.

– Bardzo bystry dzieciak.

– Co on wie o miłości?

– Jakiś ty zabawny, kochanie – mówi Dana.

Jeremy patrzy na nią zaskoczony.

Dana uśmiecha się do niego i dotyka jego ręki.

– Nie każdy zna taką miłość jak nasza.

Jeremy jest zdezorientowany. Brakuje mu słów – w obu językach. W jego umyśle aż się kotłuje, ale nic z tego nie wychodzi.

I wtedy odchyla się klapa namiotu i do środka wpada roześmiana Lindy.

– O mój Boże, to było szaleństwo! Szaleństwo! Jak to się stało? Burza w samym środku sceny? Zupełnie jakbyście to zaplanowali. – Otrząsa się niczym mokry pies i krople wody lecą na wszystkie strony. Promienieje – blask skóry głowy wydaje się rozświetlać jej twarz.

– I ta dziewczyna na łóżku – mówi Jeremy. – To była pornografia.

– Nadal tu jesteś. – Lindy patrzy na Chantal.

– Lindy… – zaczyna Jeremy.

Chantal wstaje.

– Muszę już iść.

– Nie – odpowiada Dana. – Córka zachowała się nieuprzejmie. Teraz jest pani moim gościem. Proszę zostać.

Chantal zerka na Jeremy'ego. On potakuje.

– Nie ma powodu już wychodzić – mówi słabo.

Chantal patrzy na zegarek.

– Zajęcia i tak się już skończyły. A ja jestem umówiona z dwoma innymi korepetytorami.

– Skąd tak dobrze znasz angielski? – pyta Jeremy.

– To długa historia.

– Założę się, że miała amerykańskiego chłopaka – wtrąca Lindy. – To jest sposób na uczenie się języków. W łóżku.

Chantal uśmiecha się, a jej twarz pokrywa się rumieńcem.

– Odprowadzę cię – mówi Jeremy.

– Nie ma potrzeby…

– Proszę…

Chantal zgadza się i zwraca się do Dany:

– To prawdziwa przyjemność panią poznać – mówi po francusku. – Dziękuję za możliwość przyglądania się pani pracy.

Dana podchodzi do niej i całuje dziewczynę w policzki.

– Urocza z pani istota. Cieszę się, że mój mąż miał okazję spędzić ten tydzień z panią.

Policzki Chantal ponownie czerwienieją. Zwraca się do Lindy.

– *Au revoir et bonne chance.*

– Dlaczego potrzeba mi szczęścia i powodzenia?

Chantal tylko się uśmiecha.

Wychodzi z namiotu, a Jeremy za nią.

Deszcz przestał padać, a miejsce planu filmowego ulega całkowitej przemianie. Grupa młodych mężczyzn w czarnych podkoszulkach z napisem „CHŁOPCY SZEFOWEJ" szufluje piach na drewniany pokład. Łóżko zniknęło, a ktoś przesunął palmę na właściwe miejsce.

– Pascale oszalała – mamrocze Jeremy.

– To jak magia – mówi Chantal, śmiejąc się.

– Chyba tak. Jestem nieco zbyt poważny.

– Podoba mi się to.

Rozmawiają po francusku – to język, który dzielili przez cały tydzień. Jeremy nie chce mówić do niej po angielsku. To zmieniło ich relacje. Ale przez cały tydzień o tym nie wiedział. Wkraczał głębiej i głębiej na nieznany teren.

– Tak naprawdę nie potrzebowałeś korepetycji – stwierdza Chantal. – Twój francuski jest doskonały.

– Ale potrzebowałem ciebie, żebyś mnie prowadziła – mówi Jeremy, gdy oddalają się od planu w stronę Luwru na prawym brzegu. – Przez zawiłości francuskiego i po Paryżu.

– Czasami zapominałam, że to był lektorat.

– Tak… To przypominało bardziej… – Nie potrafi znaleźć odpowiedniego słowa w żadnym języku.

Chantal zerka na niego wyczekująco.

– Dziękuję – mówi do niej.

Zatrzymali się na końcu mostu. Ona przejdzie teraz przez barierki i wróci do swojego Paryża, on do szalonego świata swojej żony, córki i łóżka na moście na środku Sekwany.

Całuje Chantal w policzki, a ona kładzie mu dłoń na ramieniu.

Potem odwraca się i odchodzi. Jeremy patrzy, jak Chantal znika w tłumie ludzi. Odwraca się. Myśli o tym, co stanie się tego wieczoru, kiedy będzie w łóżku z Daną – nie ma znaczenia, w jakim łóżku, w jakim kraju. Obejmie mocno żonę i powie jej to, co chciał wyrazić bez słów.

Nauczyciele

Chantal przychodzi pierwsza do La Forêt, ale nie dziwi jej to. Zawsze jest punktualna, co oznacza, że na ogół czeka na pozostałych. Miło mieć chwilę dla siebie, wypić kieliszek wina, obserwować innych.

Kawiarnia znajduje się na końcu alejki w Le Marais – latem stoliki zajmują pół ulicy. Ona wybrała miejsce pod markizą, gdyby znów zaczęło padać. Słyszy muzykę, ale nie dostrzega ulicznych grajków – zasłania ich grupa turystów patrzących na wskazywaną im przez przewodnika małą synagogę stojącą między dwoma starymi budynkami. Donośny głos przewodnika – mówiącego po włosku – usiłuje przebić się przez śpiew. Chantal wyobraża sobie, że to kolejna afroamerykańska pieśniarka przybyła do Paryża w poszukiwaniu sukcesu. Jej głos jest gardłowy i głęboki, a brzmienie nierówne, lecz zapadające w pamięć. Przewodnik zabiera grupę i Chantal dostrzega muzyków, a między nimi bardzo młodą białą dziewczynę, której na gitarze akompaniuje starszy mężczyzna, może ojciec. Dziewczynka musi mieć jakieś jedenaście lub dwanaście lat, chuda i niezgrabna, stoi zawstydzona przed mikrofonem. Jak takie małe stworzenie może wydać z siebie tak potężne, pełne smutku dźwięki? Skąd wie o życiu na tyle dużo, żeby jej słowa zabrzmiały wiarygodnie?

Chantal zamyka oczy i wyobraża sobie inną pieśniarkę – wysoką, smukłą czarną kobietę z krótko obciętymi włosami, wielkimi owalnymi oczyma, owianą aurą tragedii. I gdy tak wsłuchuje się w piosenkę Cole'a Portera – piosenkę o bólu, jaki towarzyszy rozstaniu – myśli o Jeremym. Jak tylko zobaczył na moście Danę, coś w nim się zmieniło. Widziała to w jego twarzy – wrócił do domu, do żony. Mógł spędzić dzień, flirtując, balansując na krawędzi romansu, z możliwością miłości, ale tak naprawdę należy do kogoś innego.

Ona nie należy do Philippe'a.

Przypomina sobie ich pierwszą randkę – zaprosił ją na przechadzkę po Parc des Buttes Chaumont, gdzie nigdy nie była. W połowie drogi wygłosił wiersz François Villona o szubienicy Montfaucon na zachodnim skraju parku. Pocałowała go wtedy, poruszona poezją, jego ustami Micka Jaggera i zaskoczona porośniętymi bujną roślinnością wzgórzami w środku 19. dzielnicy. Parę miesięcy później jego kolega z zespołu się z nią drażnił – czy poleciała na sztuczkę z pierwszą randką?

I wtedy sobie przypomniała kelnera w kawiarni niedaleko parku, który nie wiadomo skąd znał imię Philippe'a. A więc przyprowadzał tam wszystkie dziewczyny.

Philippe uwielbia się zakochiwać, ale nie chce być zakochany, pilnuje się. Ten dzień zaczął się od jego pocałunku z inną kobietą. A czym się skończy?

Ma nadzieję, że to Nico przyjdzie pierwszy. Chantal myśli o ich jedynej wspólnej nocy, o pijackim wypadzie, który zmienił się w coś innego, gdy tylko on jej dotknął. Zamyka oczy i przypomina sobie: gdy przestali się kochać, odwróciła się do niego na wąskim łóżku, a on wplótł palce w jej włosy. „Dziękuję ci – wyszeptał – za tę noc". Przez chwilę pomyślała, jakby to było być kochaną przez tego mężczyznę.

Kiedy otwiera oczy, widzi chudego białego dzieciaka śpiewającego bluesa.

Dzisiejszego wieczoru czegoś pragnie. Nie potrafi określić tego odczucia – może to tylko chęć, żeby dzień się jeszcze nie kończył.

Podnosi wzrok, gdy ktoś przechodzi koło jej stolika – nie jest to ani Nico, ani Philippe. To młoda dziewczyna – patrzy uważnie na ludzi, szukając *maman* albo *papa*. Po chwili odwraca się i pędzi ulicą. Chantal myśli o Lindy, która teraz jest z Daną i Jeremym, już nie zagubiona – przynajmniej przez chwilę.

Przygląda się siedzącej przy sąsiednim stoliku parze. Kobieta opowiada jakąś historię, machając gwałtownie rękami, a mężczyzna, przystojny i znudzony, zerka w stronę Chantal, która w nagłym przebłysku uświadamia sobie, że Philippe się dziś nie pojawi. Może w końcu udało mu się zwabić do łóżka tę Amerykankę z wielkim biustem albo zabierze nową wokalistkę do Buttes Chaumont i wyrecytuje przed nią wiersz.

Wie, czego on nie powie żadnemu ze swoich przyjaciół czy żadnej z kochanek: rok temu stracił w wypadku samochodowym brata. Brat był dobrym synem, studiował medycynę i pojawiał się w *grand appartement* swoich rodziców w 16. dzielnicy co niedziela na lunch. Philippe rzucił szkołę i wydał wszystkie pieniądze na narkotyki i sprzęt muzyczny. Po jakimś czasie zwrócił się do rodziny o pomoc, ale ta go wydziedziczyła.

Pewnej późnej nocy, gdy wrócił od rodziców, był smutny, cichy i kochał się z nią zupełnie inaczej niż zwykle. Gdy skończyli, przytulił ją i opowiedział tę historię. Spytał, czy pojedzie z nim do mieszkania rodziców w następną niedzielę. Sam nie da rady przez to przejść. „Oczywiście", odpowiedziała. „Już nie wiem, kim przy nich jestem. Od kiedy Thierry zmarł. Potrzebują dobrego syna". Zastanawiała się, czy związek z nią nie jest próbą wejścia w tę rolę.

Ale w następnym tygodniu grał koncert w St. Germain-en-Laye i nie wrócił. Wysłał tylko wiadomość: „Żadnego lunchu. Za duży kac".

To ona była jego grzeczną dziewczynką, a on jej złym chłopcem. Żadne z nich się nie zmieni. On będzie sypiał z wokalistką, a ona będzie marzyła o prawdziwej miłości. Nadal będzie mieć nadzieję, że w jej życiu pojawi się ktoś taki jak Jeremy.

– Czy mogę się przysiąść? – zaskoczona Chantal słyszy pytanie zadane po francusku.

Podnosi wzrok – to Nico uśmiecha się promiennie.

– Oczywiście. – Już sam jego widok podnosi ją na duchu.

Siada zadowolony naprzeciwko.

– Zakochałeś się w amerykańskiej nauczycielce francuskiego. – Jest zaskoczona, że czuje rozczarowanie, twarde i rzeczywiste, napierające niczym kamień.

– Nie. Tak. – Nico odwraca wzrok, a potem na stoliku pomiędzy nimi kładzie kopertę. – To dla ciebie.

Wygląda na zawstydzonego chłopca i Chantal zastanawia się, czy będzie musiała wysłuchać całej historii o cudownej kobiecie, która zdobyła jego serce.

– Otwórz – nakłania ją.

Chantal sięga po kopertę.

On wyciąga rękę po jej kieliszek i ich dłonie muskają się w przelocie. Chantal czuje jego ciepło – oto co miłość robi z człowiekiem. Patrzy, jak on upija łyczek wina. Wykonał bardzo intymny gest i nawet nie spytał, czy ona wyraża na to zgodę. Podąża wzrokiem za kieliszkiem unoszonym do ust i na moment jego uśmiech znika, a potem znów wraca, jakby był zadowolony, że zamówiła to wino z myślą o nim.

– Szampan! – wykrzykuje Chantal, przypominając sobie jego obietnicę świętowania wydania książki.

Nico przywołuje kelnera i zamawia butelkę szampana. Wygląda na to, że żadne z nich nie spodziewa się Philippe'a.

– Opowiedz mi o swoim tomiku poezji – prosi Chantal. Kładzie dłoń na kopercie, ale jej nie otwiera.

– Jeszcze dziś rano sądziłem, że moje wiersze są o wstydzie. – Choć głos Nico jest poważny, jego twarz promienieje, nie jest w stanie pohamować radości. – A teraz uważam, że nie. Gdy byłem mały, spędziłem dzień w piwniczce ziemnej, ukrywając się. Zasnąłem tam, a moi rodzice sądzili, że się zgubiłem, zostałem porwany albo Bóg wie co. Gdy się obudziłem i zobaczyłem szukających mnie policjantów, zostałem tam, zbyt przerażony, żeby wrócić do świata. Przez kolejne lata pisałem niezliczone wiersze, wymyślając, co mogło stać się tamtego dnia.

– I żaden nie mówił prawdy?

– Każdy z nich jest prawdziwy. Wszystko nadal się wydarza w wyobraźni moich rodziców, ponieważ nigdy im nie powiedziałem, gdzie byłem. Skłamałem, mówiąc, że nie pamiętam.

– Dlaczego?

– Ach, no właśnie, wstyd. Ale jest coś jeszcze. Pragnąłem tajemnicy. Pragnąłem czegoś, co będzie należało tylko do mnie, czego nikt mi nie odbierze.

– A teraz? Zdradzasz swoją tajemnicę?

– Już nie potrzebuję tajemnic. – Nico odchyla się na oparcie krzesła. Nie odrywa wzroku od Chantal.

– Nie rozumiem.

– Ten mały chłopiec w piwnicy jest taki samotny – tłumaczy Nico. – A ja chcę czegoś innego.

– Czego?

– Otwórz. – Nico dotyka jej palców, które spoczywają na kopercie.

Chantal słyszy kolejną piosenkę dziewczyny, która tym razem śpiewa po francusku. Śpiewa o języku miłości.

– Widziałeś, kto to śpiewa? – pyta go.

– Dziecko – kiwa głową Nico. – Ale gdy zamykam oczy, słyszę Edith Piaf.

– *Les mots d'amour* – powtarza Chantal. – Czasami pod koniec dnia korepetycji mam wrażenie, że nie zostały już żadne słowa.

– Pożegnałaś się ze swoim Amerykaninem? – pyta Nico.

– Tak. Myślę, że tym razem uczeń nauczył nauczyciela więcej niż nauczyciel ucznia.

Młoda wokalistka śpiewa coraz głośniej i rozmowy przy wszystkich stolikach na moment cichną.

„On jest częścią mojego serca", śpiewa dziewczyna.

– Czego się nauczyłaś?

– Och, dowiedziałam się, że jest taki rodzaj miłości, przy której człowiek czuje się, jakby wracał do domu – uśmiecha się Chantal. – Wiem już, czego ja bym chciała.

Nico patrzy na nią intensywnie, a ona spogląda na kopertę. Nie jest zaklejona. Odchyla skrzydełko i wyciąga dwa bilety. Potrzebuje chwili, żeby zrozumieć – do teatru? Na samolot? Nie, to bilety na pociąg do Awinionu. Marszczy brwi, ale nic nie mówi. Pociąg wyjeżdża o dziewiątej wieczorem z Gare de Lyon.

– Powiedz tak – mówi Nico.

Ona nie spuszcza z niego wzroku.

– Czy mogę dostać swoje wino?

Upija łyk i oddaje jej kieliszek. Ich palce znowu się stykają.

– Sądziłem, że zakochałem się w Amerykance, naprawdę – mówi w szalonym pośpiechu. – Była tragiczna, piękna i sądziłem, że ją ocalę. Zaprosiłem ją do Prowansji.

Po co mi to wszystko mówisz? – zastanawia się Chantal, ale milczy.

– Powiedziała, że spotkamy się na dworcu. Byłem tam wcześniej i kiedy jej wypatrywałem, ciągle widziałem twój kosmyk włosów uciekający z klamry, twoje oczy patrzące na mnie dziś rano, twoje zgrabne ciało idące przez tłum i pojawiające się przede mną, gotowe uciec ze mną do Prowansji. Czułem zapach lata – ty pachniesz jak lato – czułem twój oddech na twarzy. Odpychałem tę myśl od siebie i mówiłem sobie, że to było nic – ta noc, którą spędziliśmy razem – jedynie zemsta Chantal. Zaraz zjawi się Josie, ale im dłużej czekałem, tym bardziej chciałem, żebyś to ty przyszła i razem ze mną wsiadła do pociągu. Amerykanka się nie pojawiła, ale gdyby to zrobiła, powiedziałbym jej, że popełniliśmy potworny błąd. Wtedy zrozumiałem, czego chcę.

Przestaje mówić równie nagle, jak zaczął. Chantal zastanawia się przez chwilę, czy to ona jest szalona, czy on – to prawdopodobnie jakiś żart, coś, co wymyślili razem z Philippe'em, żeby zrobić z niej idiotkę.

Bo przecież musi być idiotką – przygląda mu się z uśmiechem, którego nie potrafi ukryć. Wyobraża sobie ciemność wagonu, dużą prędkość, zamkniętą przestrzeń, ciche godziny. Na miejsce dotrą o północy, znajdą hotel i spędzą noc w swoich ramionach. Rankiem już tylko Prowansja, zielona, bujna, dojrzała – wyjdą z hotelu w ten nowy świat.

– Nie mam ubrań, kosmetyków – Chantal mówi to lekko schrypniętym głosem.

– Niczego nie potrzebujesz. Spędzimy cały weekend nadzy w łóżku.

– Jestem rezerwową dziewczyną?

– Nie. – Milknie, jakby zabrakło mu słów. – To ciebie chcę – mówi w końcu ściszonym głosem, który brzmi jak obietnica.

– Nie wiem, czego ja chcę.

– Chcesz Prowansji. A na miejscu zobaczymy, co dalej.

– Jedźmy – śmieje się Chantal.

Czemu nie, myśli. Dlaczego by nie poszukać miłości w pociągu z Paryża do Prowansji? A rano obudzą się przytuleni i powita ich olśniewające słońce.

Podziękowania

Proces pisania może potrzebuje samotności, lecz przekształcanie rękopisu w gotową książkę wymaga mnóstwa pomocy od przyjaciół.

Chciałabym podziękować moim bystrym czytelnikom. To Neal Rothman, Lalita Tademy, Rosemary Graham, Elizabeth Stark, Amanda Eyre Ward, Allison Lynn, Meg Waite Clayton, Vicky Mlyniec i Cornelia Read.

Dużo zawdzięczam nadzwyczajnej agentce, Sally Wofford-Girand.

Czuję się szczęściarą, mając utalentowaną Jennifer Smith jako wydawczynię. Gina Centrello, Libby McGuire i Jane von Mehren, wspaniałe redaktorki, prowadzą ekipę marzeń w wydawnictwie Ballantine. Sanyu Dillon była jedną z pierwszych zwolenniczek *Lekcji francuskiego* w Random House i bardzo doceniam jej niesłabnące wsparcie. Chylę czoło przed Cindy Murray, specjalistką od reklamy, przed Kim Hovey i Leigh Merchant, które zasługują na *coupe de champagne* i bardzo, bardzo im dziękuję za wsparcie i ciężką pracę. *Bisous* dla was wszystkich. Proces wydawniczy nigdy nie sprawił mi tyle radości.

Ilsa Brink zaprojektowała moją stronę – Ilso, jesteś cudowna.

Należę do społeczności WOMBA: kobiet pisarek w rejonie zatoki San Francisco. Dziękuję wam, dziewczyny, za wsparcie, na które zawsze mogłam liczyć.

Moi świetni studenci zawsze mnie inspirują. Wszyscy macie u mnie szampana.

Dziękuję ci, Danielo De Luca, bardzo droga przyjaciółko, za udostępnienie mi fantastycznego mieszkania w Paryżu.

Spędziłam błogie tygodnie poświęcone pisaniu w Ledig House, Ragdale, Ucross i Atlantic Center for the Arts – jestem bardzo wdzięczna za to, co te miejsca mi dały.

Dziękuję mojemu przyjacielowi Gary'emu Lee Krautowi, doradcy podróżniczemu i założycielowi FranceRevisited.com, który sprawdził błędy we francuskich słowach i w przedstawieniu przeze mnie Paryża.

Jak zawsze, dozgonna miłość i wdzięczność dla Neala.

Opieka redakcyjna
Katarzyna Krzyżan-Perek

Redakcja
Anna Rudnicka

Korekta
Etelka Kamocki, Barbara Turnau, Małgorzata Wójcik

Projekt okładki, stron tytułowych i śródtytułowych
Filip Kuźniarz

Zdjęcie na okładce
© Les and Dave Jacobs / cultura / Corbis / Fotochannels

Rysunki na stronach 6, 24, 124, 180, 264, 275
© Canicula / Shutterstock

Redakcja techniczna
Bożena Korbut

Książkę wydrukowano na papierze
Ecco Book Cream 70 g vol 2,0

Printed in Poland
Wydawnictwo Literackie Sp. z o.o., 2012
ul. Długa 1, 31-147 Kraków
bezpłatna linia telefoniczna: 800 42 10 40
księgarnia internetowa: www.wydawnictwoliterackie.pl
e-mail: ksiegarnia@wydawnictwoliterackie.pl
fax: (+48-12) 430 00 96
tel.: (+48-12) 619 27 70
Skład i łamanie: Scriptorium „TEXTURA"
Druk i oprawa: Drukarnia Kolejowa Kraków Sp. z o.o.